CLAUDIO BLANC

MITOLOGIA NÓRDICA

HERÓIS, LENDAS E SAGAS

CONHEÇA NOSSOS LIVROS
ACESSANDO AQUI!

Títulos originais: The sword of the Volsungs and the twilight of the gods/ The Story of Gunnlaug the Worm-tongue and Raven the Skald/ Erik Brighteyes

1ª Impressão 2023

Presidente: Paulo Roberto Houch
MTB 0083982/SP

Coordenação Editorial: Priscilla Sipans
Coordenação de Arte: Rubens Martim (capa)
Tradução: Julia Fiuza
Antologia: Claudio Blanc
Diagramação: Jorge Toth

Vendas: Tel.: (11) 3393-7727 (comercial2@editoraonline.com.br)

Foi feito o depósito legal.

Dados Internacionais de Catalogação na Publicação (CIP)
de acordo com ISBD

B638m Blanc, Claudio

Mitologia Nórdica: heróis, lendas e sagas / Claudio Blanc. - Barueri : Camelot Editora, 2022.
144 p. ; 15,1cm x 23cm.

ISBN: 978-65-80921-56-0

1. Mitologia Nórdica. I. Título.

2022-3667 CDD 398.22
CDU 398.22

Elaborado por Vagner Rodolfo da Silva - CRB-8/9410

Direitos reservados ao
IBC — Instituto Brasileiro de Cultura LTDA
CNPJ 04.207.648/0001-94
Avenida Juruá, 762 — Alphaville Industrial
CEP. 06455-010 — Barueri/SP
www.editoraonline.com.br

SUMÁRIO

PARTE I

A espada dos Volsungs e o crepúsculo dos deuses

A juventude de Sigurd

Em Midgard, num reino do norte, havia um rei cujo nome era Alv. Ele era sábio e bom, e tinha em sua casa um filho adotivo chamado Sigurd.

Sigurd era tão destemido e tão forte que uma vez capturou um urso da floresta e o levou ao salão do Rei. O nome de sua mãe era Hiordis. Uma vez, antes de Sigurd nascer, Alv e seu pai, que fora rei antes dele, seguiram em uma expedição para atravessar o mar e entrar em outro país. Quando eles já estavam longe, ouviram o barulho de uma grande batalha. Os dois foram ao local do combate, mas não encontraram guerreiros vivos, apenas pilhas de mortos, entre os quais, um deles lhes chamou a atenção: ele era branco, velho e barbudo, e ainda assim era como aquele fosse o homem mais nobre que Alv ou seu pai já tinham visto. Os braços dele mostravam que ele era um rei entre o bando de guerreiros.

Alv e seu pai atravessaram a floresta procurando sobreviventes. Escondidos em um vale entre as árvores, eles se depararam com duas mulheres: uma era alta com impenetráveis olhos azuis e cabelos avermelhados, e vestia o traje de uma empregada. A outra usava o vestido de uma rainha, mas ela era baixa e seu jeito era secreto e retraído.

Quando os dois se aproximaram, aquela que se vestia como uma rainha disse:

— Ajudem-nos, senhores, nos protejam e mostraremos onde um tesouro está escondido. Uma grande batalha foi travada entre os homens do Rei Lygni e os homens do Rei Sigmund. Os homens do Rei Lygni foram vitoriosos e saíram do campo, mas Rei Sigmund está morto. Nós, que somos membros desta linhagem, escondemos seu tesouro e podemos mostrá-lo a você.

— O nobre guerreiro, de cabelos e barba branca, que está ali, é o Rei Sigmund?

A mulher respondeu:

— Sim, senhor, e eu sou sua rainha.

— Ouvimos falar do Rei Sigmund — disse o pai de Alv — Sua fama e a de sua raça, os Volsungs, atravessam o mundo.

Barcos Construídos na Terra dos Eslavos, de Nicholas Roerich (1903)

Alv não disse nenhuma palavra para as mulheres, mas seus olhos se fixaram naquela que estava trajada como uma empregada. Ela estava de joelhos, embrulhando na pele de uma besta dois pedaços de uma espada quebrada.

— Vocês certamente nos protegerão, bons senhores — Disse a mulher que se vestia como rainha.

— Sim, esposa do Rei Sigmund, protegeremos você e sua empregada — Disse o pai de Alv, o velho rei.

Em seguida, as mulheres levaram os guerreiros para um lugar selvagem na costa marítima e mostraram-lhes o tesouro que estava escondido entre as rochas: copos de ouro, poderosos armamentos e colares cravejados com joias. Príncipe Alv e seu pai colocaram os tesouros no navio e trouxeram as duas mulheres a bordo. Então, eles partiram daquela terra.

Isso foi antes de Sigurd, o filho adotivo do rei Alv, nascer.

A mãe de Alv era sábia e do pouco que ela observava não lhe escapava nada. Ela viu que das duas mulheres trazidas para o reino por seu filho e seu marido, aquela que usava o vestido da empregada tinha olhos impenetráveis e uma beleza grandiosa, enquanto a que usava o vestido de rainha estava retraída e era pouco imponente. Uma noite, quando todas as mulheres da casa estavam sentadas em volta dela, tecendo lã à luz das tochas no corredor, a Rainha-Mãe disse para aquela que usava o traje de rainha:

— Vossa habilidade em levantar-se de manhã é boa. Como você sabe, nas horas escuras, quando se inicia o amanhecer?

A mulher vestida como rainha disse:

— Quando eu era jovem, costumava me levantar para ordenhar as vacas, e desde então eu sempre acordo na mesma hora.

A Rainha-Mãe disse para si mesma: "É um país estranho este em que as donzelas reais se levantam pela manhã para ordenhar as vacas."

Então ela disse para aquela que usava as roupas da empregada:

— Como você sabe, nas horas escuras, quando o amanhecer está chegando?

— Meu pai — disse ela — me deu este anel de ouro que uso, e antes de chegar a hora de amanhecer, sinto que o anel esfria no meu dedo.

"É um país verdadeiramente estranho", pensou a Rainha-Mãe consigo mesma, "este em que as empregadas usam anéis de ouro."

Quando todas as outras tinham ido embora, ela falou com as duas mulheres que tinham sido trazidas para o seu reino. Para aquela que usava as roupas de empregada doméstica, ela disse:

— Tu és a Rainha.

Então aquele que usava as roupas de rainha disse:

— Você está certa, senhora. Ela é a Rainha, e eu não posso mais fingir ser diferente do que eu sou.

Então a outra mulher falou:

— Eu sou a Rainha como você disse, a Rainha do Rei Sigmund que foi morto. Um rei procurou por mim e eu troquei de roupa com minha empregada em busca de confundir aqueles que poderiam ser enviados para me levar embora.

Saiba que eu sou Hiordis, a filha de um Rei. Muitos homens vieram ao meu pai para me pedir em casamento, e dos que vieram, havia dois dos quais muito ouvi falar: um era o Rei Lygni, e o outro era o Rei Sigmund, da raça dos Volsungs. O Rei, meu pai, me pediu para eu escolher entre esses dois. O Rei Sigmund era velho, mas ele era o guerreiro mais famoso do mundo, e eu o escolhi ao invés do Rei Lygni.

Nós estávamos nos casando, mas ainda assim Rei Lygni não havia perdido seu desejo por mim. Algum tempo depois, ele atacou o reino de Rei Sigmund com um grande exército de homens. Escondemos nosso tesouro na costa, e eu e minha empregada assistimos a batalha das fronteiras da floresta. Com a ajuda de Gram, sua espada maravilhosa, e sua própria força, Sigmund foi capaz de ferir a grande ofensiva que veio contra ele. Mas, de repente, ele foi abatido. Depois disso, a batalha foi perdida. Apenas os homens do Rei Lygni sobreviveram, e eles se espalharam para procurar por mim e pelo tesouro do Rei.

Eu fui até onde meu senhor estava caído no campo de batalha. Quando cheguei, ele levantou-se em seu escudo, e me disse que a morte estava muito perto dele. Um estranho havia entrado na batalha quando parecia que os homens do Rei Lygni iriam recuar. Com a lança que ele segurava em sua mão, este homem golpeou a espada de Sigmund, e Gram, a espada maravilhosa, foi quebrada em dois pedaços. Então o Rei Sigmund teve sua ferida mortal. "Deve ser isso, vou morrer", disse ele, "pois a lança contra a qual minha espada quebrou foi Gungnir, a lança de Odin. Só aquela lança poderia ter quebrado a espada que Odin deu aos meus pais. Agora devo ir para Valhalla, para o salão dos heróis de Odin."

"Eu choro", eu respondi, "porque eu não tenho nenhum filho que possa chamar a si mesmo como parte da grande raça dos Volsungs."

"Você não precisa chorar por isso", disse Sigmund, "um filho meu e seu nascerá para você, e deves chamá-lo de Sigurd. Pegue agora os pedaços quebrados da minha espada maravilhosa e dê-os ao meu filho quando ele tiver a idade do guerreiro."

Sigmund virou o rosto para o chão e a agonia da morte veio sobre ele; e então, a Valquíria de Odin tirou seu espírito do campo de batalha. Peguei os pedaços quebrados da espada, e com minha empregada doméstica e me escondi em um profundo vale na floresta. Então seu marido e seu filho nos encontraram e nos trouxeram ao seu reino onde fomos gentilmente tratados, Ó Rainha.

Tal foi a história que Hiordis, a esposa do rei Sigmund, contou à mãe do Príncipe Alv.

Pouco tempo depois, o filho de Sigmund nasceu e ela o nomeou de Sigurd. Depois do nascimento de Sigurd, o velho rei morreu e o príncipe Alv tornou-se rei em seu lugar. Ele se casou com Hiordis – com cabelos avermelhados, jeito determinado e grandiosa beleza - e criou Sigurd em sua casa como seu filho adotivo.

Sigurd, o filho de Sigmund, antes de chegar à idade do guerreiro, era conhecido por sua força, rapidez e pelo destemor que emanava em volta dele.

— Poderosa foi a raça da qual ele se originou, a raça Volsung — disseram os homens — mas Sigurd será tão poderoso quanto qualquer um que tenha surgido antes dele. Ele construiu sozinho uma cabana na floresta para caçar animais selvagens e viver perto de um homem que o treinasse em diversos tipos de trabalhos manuais.

Este homem era Regin, um produtor de espadas e, além disso, uma pessoa astuta. Foi dito que Regin era um Mago e que ele estava no mundo há mais tempo do que as gerações dos homens. Ninguém, e nem o pai de ninguém, se lembrou quando Regin tinha vindo para aquele país. Ele ensinou Sigurd sobre a arte de trabalhar com metais e sobre a tradição de outros dias. Mas todas as vezes que Regin ensinava a Sigurd, olhava-o estranhamente, não como um homem olha para seu companheiro, mas como um lince olha para um animal mais forte.

Um, dia, Regin disse ao jovem Sigurd:

— Dizem que o rei Alv tem o tesouro do seu pai, e ainda assim ele age como se você tivesse nascido como um escravo.

Naquele momento Sigurd percebia que Regin disse aquilo para irritá-lo e depois usá-lo para seus próprios fins. Então, ele disse:

— Rei Alv é um sábio e um bom rei, e ele me deixaria ter riquezas se eu precisasse delas.

— Tu andas como um servo, não como o filho de um rei.

— Qualquer dia que me interessar, terei um cavalo para cavalgar.

— Se você diz...— disse Regin, e se afastou de Sigurd para soprar o fogo de sua ferraria.

Sigurd ficou com raiva; jogou os ferros que usava para trabalhar e correu para os pastos de cavalo perto do grande rio. Um rebanho de cavalos estava lá, alguns cavalos cinza e preto, outros bege e castanho, e aqueles eram os melhores dos cavalos que rei Alv possuía. Quando ele se aproximou do local onde o rebanho pastava, viu um estranho por perto. Era um homem antigo, mas robusto, vestindo um estranho manto azul e apoiado em um mastro para observar os cavalos. Sigurd, embora jovem, já tinha visto reis em seu salão, mas este homem tinha uma influência que era ainda maior do que qualquer rei que ele já tinha visto.

— Escolha um cavalo para si mesmo — Disse o estranho a Sigurd.

— Sim, pai — Disse Sigurd.

— Mas antes, dirija o rebanho para o rio.

Sigurd levou os cavalos para o vasto rio. Alguns foram levados pela correnteza, outros lutaram duramente e outros subiram os montes dos pastos. Mas um nadou através do rio, e levantando sua cabeça rapidamente, relinchou em vitória. Sigurd marcou-o, um cavalo cinza que era jovem e orgulhoso, com uma grande crina que balançava. Então, ele atravessou a água, pegou o cavalo, e montado, trouxe-o de volta através do rio.

— Fez bem — disse o estranho — Grani, este cavalo que pegastes, é da raça de Sleipner, o cavalo de Odin.

— E eu sou da raça dos filhos de Odin! — gritou Sigurd, com os olhos arregalados e brilhando como a própria luz do sol. – Eu sou da raça dos filhos de Odin, pois meu pai era Sigmund, e seu pai era Volsung, que era filho de Rerir, e seu pai era Sigi, que era filho de Odin.

O estranho, apoiado em seu mastro, olhava fixamente para o jovem. Apenas um de seus olhos podia ser visto, mas aquele olho, Sigurd pensou, poderia ver através de uma pedra.

— Tudo o que você nomeou — disse o estranho — foi como espadas de Odin enviando homens para Valhalla, o salão dos heróis de Odin. E de todos que você nomeou, não havia nenhum além dos escolhidos pelas Valquírias de Odin para batalhas em Asgard.

Sigurd gritou:

— Muito daquilo que é valente e nobre no mundo é tomado por Odin para suas batalhas em Asgard.

O estranho se apoiou em seu mastro e sua cabeça se inclinou.

— O que você faria? — disse ele, e não parecia a Sigurd que ele falava com o estranho — O que você faria? As folhas murcham e caem de Yggdrasil, e vem o dia de Ragnarök.

Então, ele levantou a cabeça e disse a Sigurd.

— Está próximo o tempo em que você poderá se apossar das peças da espada de seu pai.

Então o homem com o estranho manto de azul subiu a colina e Sigurd o viu desaparecer de sua vista. Ele tinha contido Grani, seu orgulhoso cavalo, mas, naquele momento, deixou-o galopar ao longo do rio em uma corrida que foi tão rápida quanto o vento.

A espada Gram e o dragão Fafnir

Montado sobre Grani, seu glorioso cavalo, Sigurd cavalgou até o salão e apareceu para Alv, o rei, e Hiordis, sua mãe. Antes de ir ao salão, ele gritou o nome Volsung, e o Rei Alv, enquanto o observava, sentiu que este jovem era bastante capaz comparado a muitos homens, e Hiordis, sua mãe, viu a chama de seus olhos azuis e pensou consigo mesma que seu caminho pelo mundo seria como o caminho da águia através do ar.

Tendo aparecido diante do salão, Sigurd desmontou de Grani, acariciou-o e disse que agora ele poderia voltar e ir pastar com o rebanho. O glorioso cavalo bufou carinhosamente para Sigurd e saltou para longe.

Então, Sigurd caminhou até chegar à cabana na floresta onde trabalhou com o astuto ferreiro Regin. Ninguém estava na cabana quando ele entrou, mas sobre a bigorna, na fumaça do fogo da ferraria, havia um trabalho feito pelas mãos de Regin. Sigurd olhou para aquilo e um ódio emergiu de dentro de si.

O trabalho feito pelas mãos de Regin era um escudo, um grande escudo de ferro. Martelado naquele escudo e colorido com cores vermelhas e marrons, estava a imagem de um dragão que se estendia para fora de uma caverna. Sigurd pensou que aquela era a imagem da coisa mais odiosa do mundo, e quando a luz do fogo da ferraria iluminava a imagem, a fumaça fazia com que parecesse um dragão vivendo em seu próprio elemento de fogo e fedor.

Enquanto ele ainda estava olhando relutante para a imagem, Regin, o ferreiro astuto, entrou na ferraria. Ele ficou perto da parede e viu Sigurd. Suas costas estavam dobradas, seu cabelo caía sobre seus olhos que estavam ardentes, e ele parecia uma besta que corre atrás das cercas.

— Sim, filho dos Volsungs, você está a olhar para Fafnir, o dragão — disse Regin a Sigurd — Talvez seja você quem o matará.

— Eu não me esforçaria com tal besta. Para mim ele é horrível — respondeu Sigurd.

— Com uma boa espada, você poderia matá-lo e ganhar por si mesmo ainda mais renome do que seus pais tiveram — sussurrou Regin.

— Eu serei renomado da mesma forma que meus pais conquistaram seus renomes, em batalhas com os homens e na conquista dos reinos — disse Sigurd.

— Você não é um verdadeiro Volsung ou iria de bom grado para onde está o mais temeroso perigo — disse Regin — Você já ouviu falar de Fafnir, o dragão, cuja imagem eu forjei aqui. Se você cavalgar até o cume das colinas, poderá olhar para a terra devastada onde Fafnir tem seu refúgio. Saiba que essa terra devastada já foi uma terra justa onde os homens tinham paz e prosperidade, mas Fafnir veio e fez seu covil em uma caverna por perto, e suas respirações, quando iam e vinham, secaram o rio e a terra, e fizeram dela o lixo estéril que os homens chamavam de pântano de Gnita. Agora, se você é um verdadeiro Volsung, então matará o dragão e fará com que essa terra se torne justa novamente. Traga o povo de volta para sua terra e assim aumente o domínio do Rei Alv.

— Não tenho nada a ver com o assassinato de dragões — disse Sigurd — O que devo é fazer guerra contra o Rei Lygni, e vingar o assassinato de Sigmund, meu pai.

— O que é a morte de Lygni e a conquista de seu reino comparados com a morte de Fafnir, o dragão? — gritou Regin — Eu te direi o que ninguém mais sabe de Fafnir, o dragão. Ele guarda um tesouro de ouro e joias como nunca foi visto no mundo. Todo esse tesouro pode ser seu se você o matar.

— Eu não cobiço riquezas — disse Sigurd.

— Nenhuma riqueza é como as riquezas que Fafnir guarda. Seu tesouro é o tesouro que o anão Andvari tinha desde os primórdios do mundo. Uma vez, os próprios deuses usaram este tesouro como pagamento de um resgate. E se você vai ganhar este tesouro, você será como um dos deuses.

— Como você sabe do que você está falando, Regin? — Sigurd disse.

— Eu sei, e um dia eu posso te dizer como eu sei.

— E um dia eu posso ouvir a você. Mas não fale mais comigo sobre este dragão. Gostaria que você fizesse uma espada que será a mais poderosa e a mais bem moldada do que qualquer espada no mundo. Você pode fazer isso, Regin, pois você é considerado o melhor ferreiro entre os homens.

Regin olhou para Sigurd com seus olhos pequenos e astutos e pensou que era melhor se manter ativo. Então ele pegou os pedaços de ferro mais pesados, colocou-os em sua fornalha e pegou as ferramentas secretas que usa quando uma obra-prima é reivindicada de suas mãos.

Durante todo o dia, Sigurd trabalhou ao seu lado mantendo o fogo com seu melhor brilho e trazendo água para resfriar a lâmina para que ela fosse moldada e remodelada. E enquanto trabalhava, ele pensava apenas sobre a espada e sobre como ele faria guerra contra o rei Lygni, vingando assim o homem que foi morto antes de ele mesmo nascer.

O dia todo ele só pensava na guerra e na espada que estava sendo batida. Mas à noite seus sonhos não eram sobre guerras nem espadas moldadas, mas sobre Fafnir, o dragão. Ele viu o pântano que foi deixado

Fiorde Sognefjord, na Noruega:
paisagem escandinava

estéril por sua respiração, e a caverna onde ele tinha seu covil. Sigurd viu o dragão se rastejando para baixo de sua caverna, suas escamas brilhavam como anéis em uma cota de malha, e seu comprimento era o comprimento de um bando de homens em marcha.

No dia seguinte, ele trabalhou com Regin para moldar a grande espada. Quando ela foi habilmente moldada, Regin sabia que aquela era, de fato, uma espada poderosa. Em seguida, Regin afiou-a e Sigurd poliu-a. Então, Sigurd finalmente segurou a grande espada pelo seu punho de ferro.

Ele pegou o escudo que tinha a imagem de Fafnir, o dragão, e o colocou sobre a bigorna do ferreiro. Levantando a grande espada em ambas as mãos, ele bateu em cheio no escudo de ferro.

O golpe da espada arrancou parte do escudo, mas a lâmina se quebrou nas mãos de Sigurd. Então, com raiva, ele se virou contra Regin, gritando: "Você fez uma espada de patife para mim para que eu trabalhe com você de novo! Você deve fazer uma espada dos Volsung para mim!" Então ele saiu e chamou Grani, seu cavalo, e cavalgou como a ventania até a margem do rio.

Regin pegou mais pedaços de ferro e começou a forjar uma nova espada, e enquanto trabalhava, pronunciava runas que falavam sobre o tesouro que Fafnir, o dragão, guardava. Naquela noite, Sigurd sonhou com os tesouros brilhantes que ele não cobiçava, massas de ouro e montes de joias brilhantes.

Ele ajudou Regin no dia seguinte e ambos trabalharam para fazer uma espada que seria ainda mais poderosa do que a primeira. Durante três dias eles trabalharam sobre ela, e então Regin colocou nas mãos de Sigurd uma espada afiada e polida, que era ainda mais poderosa e esplêndida do que aquela que tinha sido forjada antes. Novamente, Sigurd pegou o escudo que tinha a imagem do dragão sobre ele e colocou sobre a bigorna. Então, ele levantou os braços e deu um golpe total. A espada atravessou o escudo, mas quando atingiu a bigorna, estilhaçou em suas mãos. Com raiva, ele deixou o ferreiro e chamou Grani, seu glorioso cavalo. Ele montou-o e cavalgou como a varredura do vento.

Mais tarde, ele veio para a residência de sua mãe e ficou diante de Hiordis.

— Eu devo ter uma espada maior, que seja feita de metal extraído da terra. Chegou a hora, mãe, o momento em que deves colocar em minhas mãos os pedaços quebrados de Gram, a espada de Sigmund e dos Volsungs.

Hiordis mediu-o com o olhar e viu que seu filho era um jovem poderoso e apto a usar a espada de Sigmund e os Volsungs. Então, ela disse que o levaria ao salão do rei. Do grande baú de pedra que estava em seu quarto, ela pegou a pele da besta e a lâmina quebrada que estava enrolada nela. Hiordis deu as peças nas mãos de seu filho. "Eis as metades de Gram,", disse ela, "a poderosa espada que, nos dias distantes, Odin deixou no Branstock, na árvore da casa de Volsung. Gostaria de ver Gram em nova forma em tuas mãos, meu filho."

Ela abraçou seu filho como nunca tinha abraçado antes, e ali com seus cabelos avermelhados, ela contou sobre a glória de Gram e dos feitos de seu pai em cujas mãos a espada já tinha brilhado.

Então Sigurd foi para o ferreiro, tirou Regin de seu sono, e o fez olhar os pedaços brilhantes da espada de Sigmund. Ele ordenou que fizesse dessas metades uma espada.

Regin trabalhou por dias em sua oficina e Sigurd nunca saia do seu lado. Finalmente, a espada foi forjada, e quando Sigurd segurou-a em sua mão, fogo escorreu ao longo da borda dela.

Mais uma vez ele colocou o escudo que tinha a imagem do dragão sobre a bigorna do ferreiro. Com as mãos no punho de ferro, ele levantou a espada e deu um golpe completo. Ele bateu, e a espada cortou o escudo e a bigorna, cortando seu chifre de ferro. Então Sigurd sabia que tinha em suas mãos a espada dos Volsungs. Ele chamou Grani, e como a varredura do vento, ele desceu até a margem do rio. Lá, pedaços de lã estavam flutuando pelas águas. Sigurd bateu neles com sua espada, e a lã fina foi dividida contra a borda da água. Fosse duro ou fino, Gram poderia cortar ambas.

Naquela noite, Gram, a espada dos Volsungs, estava sob sua cabeça quando ele dormia, mas ainda assim seus sonhos estavam cheios de imagens que ele não tinha prestado atenção durante o dia: o brilho de um tesouro que ele não cobiçava e o brilho das escamas de um dragão que era muito repugnante para ele lutar.

O sangue do Dragão

Sigurd entrou na guerra e, junto dos homens que rei Alv lhe deu, marchou para o país que era governado pelo assassino de seu pai. A guerra que ele travou foi curta e as batalhas que ele ganhou não eram arriscadas.

Rei Lygni estava velho e fraco era o seu domínio sobre o seu povo. Sigurd o matou, tirou seu tesouro e somou suas terras às terras do Rei Alv.

Ainda assim, ele não estava satisfeito com a vitória. Sigurd havia sonhado com batalhas duras e de renome, que deveriam ser duramente vencidas. Qual era a guerra que ele havia travado comparadas às guerras que Sigmund, seu pai, e o pai dos Volsung tinham travado em seus dias? Sigurd não estava contente. Ele levou seus homens de volta pelas colinas de cumes de onde ele podia observar a toca do dragão. Tendo chegado até lá, ele ordenou aos seus homens para que voltassem para o salão do Rei Alv com os tesouros que ele havia conquistado.

Os homens foram e Sigurd ficou nas colinas observando o pântano incendiado onde Fafnir, o dragão, tinha seu covil. O pântano tinha sido todo queimado e desperdiçado por causa do sopro ardente do dragão. Sigurd viu a caverna onde Fafnir morava, e viu também o caminho que suas idas e vindas fizeram. Todos os dias o dragão deixava sua caverna entre os penhascos, cruzando o pântano, para ir ao rio em que ele bebia água.

Durante o dia, Sigurd observou das colinas o covil do dragão. À noite, ele o viu se alongando para fora da caverna, e vindo em seu caminho através do pântano, como um navio que viajava rapidamente por causa de seus muitos remos.

Então, Sigurd foi até a ferraria e disse para o astuto Regin:

— Diga-me tudo o que sabe sobre Fafnir, o dragão.

Regin começou a falar, mas seu discurso era velho, estranho e cheio de runas. Quando ele terminou de falar, Sigurd disse:

— Você terá que repetir tudo o que disse em uma linguagem que é conhecida pelos homens de nossos dias.

Então disse Regin:

— Eu falei de um tesouro, o qual o Anão Andvari protegeu desde os primeiros dias do mundo. Mas um dos Æsir forçou Andvari a dar as massas de ouro e montes de joias a ele, e os Æsir deu a Hreidmar, que era meu pai.

Em troca do assassinato de seu filho Otter, Æsir deu a Hreidmar o maior tesouro que já tinha sido visto no mundo. Não muito tempo sobrou para Hreidmar se vangloriar, pois um filho matou um pai para que ele pudesse possuir esse tesouro. Fafnir, aquele filho era Fafnir, meu irmão.

Então Fafnir, para que ninguém pudesse perturbar sua posse do tesouro, transformou-se em um dragão, um dragão tão temeroso que ninguém se atreve a chegar perto dele. E eu, Regin, fui atingido pela cobiça do tesouro. Eu não me transformei em outro ser, mas, através da magia que meu pai conhecia, fiz minha vida ser mais longa do que as gerações dos homens, esperando que eu pudesse ver Fafnir morto e possuir o poderoso tesouro sob minhas mãos.

Agora, filho dos Volsungs, você sabe tudo o que diz respeito a Fafnir, o dragão, e o grande tesouro que ele guarda.

— Mal me importo com o tesouro que ele guarda — disse Sigurd — Eu só me importo com o fato de que ele desperdiçou as terras boas do rei e é uma coisa má para os homens. Eu teria a notoriedade de matar Fafnir, o dragão.

— Com Gram, a espada que tem, você poderia matar Fafnir — gritou Regin, com seu corpo abalado por sua paixão pelo tesouro — Você poderia matá-lo com a espada que tem. Ouça agora e eu vou te dizer como você pode dar a ele um golpe mortal através das escamas da sua couraça. Ouça, pois pensei em tudo.

A trilha do dragão para o rio é larga, pois ele pega sempre um único caminho. Cave um poço no meio deste caminho, e quando Fafnir vier, você baterá em sua couraça com Gram, sua grande espada. Só Gram poderá furar essa couraça. Então Fafnir será morto e o tesouro será deixado sem guarda.

— O que você diz é sábio, Regin — respondeu Sigurd — Nós vamos fazer este poço e eu vou atacar Fafnir da maneira que você disse.

Então Sigurd montou em Grani, seu glorioso cavalo, e visitou Rei Alv e Hiordis, sua mãe. Depois, ele foi com Regin para o pântano, onde ficava o covil do dragão, e em seu caminho eles cavaram um poço para o assassinato de Fafnir.

Para que seu cavalo não gritasse com a vinda do dragão, Sigurd mandou Grani de volta para uma caverna nas colinas. Regin foi quem levou Grani embora. "Estou com medo e não posso fazer nada para te ajudar, filho dos Volsungs", disse ele. "Eu irei embora e esperarei o assassinato de Fafnir."

Regin se foi, e Sigurd deitou-se no poço que tinham feito, enquanto praticava golpes para cima com sua espada. Ele estava deitado com o rosto para cima e com as duas mãos ele empurrava a poderosa espada para cima.

Mas enquanto Sigurd estava lá, ele pensou em algo amedrontador que poderia acontecer. Se o sangue e o veneno do dragão se derramassem sobre ele, seria despedaçado em carne e osso. Quando Sigurd pensou nesta situação, apressou-se para fora do poço e cavou outros poços perto, fazendo uma passagem de um poço para outro onde ele poderia escapar do fluxo do sangue e veneno do dragão.

Enquanto ele se deitava novamente no poço, Sigurd ouviu os passos do dragão e o grito estranho e triste da besta. Poderosamente, Fafnir aproximou-se e Sigurd podia ouvir sua respiração. Sua forma veio sobre o poço, e então, o dragão ergueu sua cabeça e olhou para Sigurd.

Aquele foi o instante para golpeá-lo com Gram, e Sigurd não deixou o instante passar. Ele bateu poderosamente debaixo do ombro e em direção ao coração da besta. A espada atravessou as escamas duras e brilhantes, as quais eram a armadura da criatura. Sigurd puxou a espada e retirou-se através da passagem, e foi para o segundo poço pois o lugar anterior estava encharcado com o sangue envenenado de Fafnir.

Arrastando-se para fora do segundo poço, ele viu a enorme forma de Fafnir erguendo-se como uma onda. Sigurd veio até ele e enfiou sua espada bem no pescoço do dragão. A besta empinou-se como se fosse jogar em Sigurd todo o seu volume esmagador e garras pavorosas, com sua respiração ardente e seu sangue envenenado, mas ele pulou para o lado e correu para longe. Então, Fafnir gritou seu grito de morte. Depois de ter rasgado pedras com suas garras, ficou de bruços no chão, com a cabeça no poço que estava cheia de sangue envenenado.

Ao ouvir o grito de morte de Fafnir, Regin desceu para onde a batalha tinha sido travada. Quando ele viu que Sigurd estava vivo e ileso, soltou um grito de fúria, pois seu plano era ter Sigurd afogado e queimado no poço com o fluxo de sangue envenenado de Fafnir.

Mas ele dominou sua fúria e demonstrou um semblante satisfeito para Sigurd.

— Agora você será renomado! — ele gritou — Para sempre você será chamado de Sigurd, a desgraça de Fafnir. Mais renomado do que nunca, nem mesmo seus pais são tão renomados quanto você, Ó Príncipe dos Volsungs.

Mapa da Escandinávia produzido pelo cartógrafo Homann, em cerca de 1715

Então ele disse palavras justas para ele, já que havia sobrevivido, mas havia algo que ele teria que convencer Sigurd a fazer.

— Fafnir está morto — disse Sigurd — e o triunfo sobre ele não foi facilmente conquistado. Agora posso me mostrar ao Rei Alv e à minha mãe, e o ouro do tesouro de Fafnir me trará grandes bens.

— Espere! — disse Regin astutamente — Espere, você ainda tem o que fazer por mim. Com a espada que você tem, tire o coração do Dragão e traga-o para mim. Quando você assim tiver feito, asse-o para que eu possa comer este coração e tornar-me mais sábio do que eu já sou. Faça isso por mim pois fui eu quem te mostrei como derrotar Fafnir.

Sigurd fez o que Regin induziu-o a fazer. Ele cortou o coração do dragão e pendurou-o nas estacas para assar. Regin se afastou e o deixou. Enquanto Sigurd estava diante do fogo, colocando paus sobre o coração, houve um grande silêncio na floresta.

Ele colocou a mão embaixo para virar um galho cinza no coração do fogo e, quando ele fez isso, uma gota do coração assado caiu sobre sua mão. A gota queimou sua pele, e ele colocou a mão na boca para aliviar a dor aguda, provando o sangue ardente do dragão.

Sigurd foi recolher madeira para o fogo. Em uma clareira onde chegou havia pássaros, e ele viu quatro deles em um galho, juntos. Eles falavam uns com os outros em notas de pássaros, e Sigurd ouvia e sabia o que eles estavam dizendo.

Disse o primeiro pássaro:

— Quão simples é aquele que entrou neste vale! Ele não pensa em um inimigo e, no entanto, aquele que estava com ele há pouco tempo foi embora para trazer uma lança para matá-lo.

— Ele o mataria pelo ouro que está na caverna do dragão — disse o segundo pássaro.

E o terceiro pássaro disse:

— Se ele próprio comesse o coração do dragão, conheceria toda a sabedoria.

Mas o quarto pássaro disse:

— Ele provou uma gota de sangue do dragão, e ele sabe o que estamos dizendo.

Os quatro pássaros não voaram para longe nem deixaram de falar. Em vez disso, eles começaram a falar de uma morada maravilhosa conhecida por eles.

Nas profundezas da floresta, onde os pássaros cantavam, havia um salão que era chamado de Casa das Chamas. Suas dez paredes eram Uni, Iri, Barri, Ori, Varns, Vegdrasil, Derri, Uri, Dellinger, Atvarder, e cada parede foi construída pelo anão cujo nome levava. Ao redor do salão havia um círculo de fogo através do qual ninguém poderia passar, e dentro do salão uma donzela dormia, e ela era a mais sábia, corajosa e a mais bela do mundo.

Sigurd ficou encantado ouvindo o que os pássaros cantavam. Mas de repente eles mudaram o fluxo de seu discurso, e suas notas se tornaram afiadas e penetrantes.

— Olha, olha! — gritou um — Ele está vindo contra o jovem.

— Ele está vindo contra ele com uma lança! — gritou outro.

— Agora o jovem será morto a menos que ele seja rápido — gritou um terceiro.

Sigurd se virou e viu Regin marchando sua direção, sombrio e silencioso, com uma lança em suas mãos. A lança teria atravessado Sigurd se ele tivesse ficado um instante a mais no lugar onde ele estava ouvindo o discurso dos pássaros. Quando ele se virou, com sua espada na mão, atirou-a, e Gram atingiu Regin no peito.

Em seguida, Regin gritou:

— Eu morro! Eu morro sem ter colocado minhas mãos no tesouro que Fafnir guardava. Ah, uma maldição estava sobre o tesouro pela qual Hreidmar, Fafnir e eu perecemos. Que a maldição do ouro agora caia sobre aquele que é meu matador.

Então Regin suspirou e morreu. Sigurd pegou o corpo e o lançou no poço que estava ao lado do Fafnir morto. Então, para que ele pudesse comer o coração do dragão e se tornar o mais sábio dos homens, ele foi para onde havia deixado assar. Ele pensou que quando comesse o coração, ele iria para a caverna do dragão e levaria o tesouro que estava lá, trazendo-o como um despojo de sua batalha para Rei Alv e sua mãe. Então ele iria pela floresta e encontraria a Casa da Chama onde dormia a donzela que era a mais sábia, corajosa e bonita do mundo.

Mas Sigurd não comeu o coração do dragão. Quando ele chegou no local em que havia deixado assando, ele descobriu que o fogo tinha queimado completamente o coração de Fafnir.

A história de Sigmund e Signy

Sigurd subiu em um monte no pântano e de lá emanou um grande grito para chamar Grani, seu glorioso cavalo. Grani ouviu o grito da caverna onde Regin o deixou e veio galopando para Sigurd com a crina e olhos brilhando como fogo.

Sigurd montou em Grani e foi até a caverna de Fafnir. Quando ele entrou no lugar onde o dragão costumava ficar, viu uma porta de ferro diante dele. Com Gram, sua poderosa espada, ele cortou o ferro, e com suas mãos fortes, puxou a porta para trás. Então, diante dele, Sigurd viu o tesouro que o dragão guardava, massas de ouro e montes de joias brilhantes.

Mas quando olhou para o tesouro, Sigurd sentiu uma sombra do mal que pairava sobre ele. Estas foram as riquezas que, nos dias distantes, as donzelas do rio vigiavam enquanto jazia profundamente sob a água corrente. Então Andvari, o anão, forçou as donzelas do rio a entregar o tesouro a ele. E Loki o tirou de Andvari, soltando como fez Gulveig, a bruxa, a qual tinha um grande poder maligno sobre os deuses. Pelo bem do tesouro, Fafnir matou Hreidmar, seu pai, e Regin tinha tramado a morte contra Fafnir, seu irmão.

Sigurd sequer sabia de toda essa história. Mas uma sombra do mal que vinha do tesouro tocou seu espírito enquanto ele estava lá diante do monte brilhante. Ele tiraria tudo, mas não agora. A história que os pássaros contavam estava em sua mente, e o verde da floresta era mais brilhante para ele do que o brilho do monte de tesouros. Ele voltaria com baús carregados e os levaria para o salão do Rei Alv, mas primeiro ele pegaria coisas que ele mesmo pudesse usar.

Ele encontrou um capacete de ouro e colocou-o na cabeça. Também encontrou um grande armamento, e vestiu-o em torno de seu braço. No topo do armamento, havia um pequeno anel com uma runa entalhada nele. Sigurd colocou em seu dedo, mas não sabia que este era o anel que Andvari, o anão, tinha colocado a maldição quando Loki tinha tirado o tesouro dele.

Ele sabia que ninguém atravessaria o pântano e viria ao covil de Fafnir, e por isso não temia deixar o tesouro desprotegido. Sigurd montou em Grani, seu glorioso cavalo, e cavalgou em direção à floresta. Ele procurava a Casa da Chama onde a donzela dormia, aquela que era a mais sábia, corajosa e a mais bonita do mundo. Com seu capacete brilhando acima de seu cabelo dourado, Sigurd cavalgou.

Enquanto cavalgava em direção à floresta, Sigurd pensou em Sigmund, seu pai, cujo assassinato ele tinha vingado. Ele também pensou no pai de Sigmund, Volsung, e dos feitos sombrios que os Volsungs haviam sofrido.

Rerir, filho de Sigi, que era filho de Odin, era o pai de Volsung. Volsung, quando estava em sua idade viril, construiu seu salão ao redor de uma árvore poderosa. Seus galhos iam até as vigas da casa e o telhado, e seu grande tronco era o centro do salão. Branstock era o nome daquela árvore, e o salão de Volsung foi nomeado "O Salão de Branstock".

Volsung teve muitas crianças, onze filhos e uma filha. Todos os seus filhos eram fortes e bons lutadores, e Volsung do Salão de Branstock era um chefe poderoso.

Foi através de Signy, a filha da casa, que uma rixa e uma batalha mortal foi trazida para Volsung e seus filhos. Ela era uma sábia e justa donzela, e sua fama percorreu por todas as terras. Um dia, Volsung recebeu uma mensagem de um rei pedindo a mão de Signy em casamento, e Volsung, que sabia deste rei através do relatório de suas batalhas, enviou uma mensagem a ele dizendo que ele seria bem-vindo ao salão de Branstock.

Então, Rei Siggeir veio com seus homens, mas quando os Volsungs olharam para o rosto dele, não gostaram. Signy encolheu-se, dizendo: "Este rei é mau de coração e falso de palavra."

Volsung e seus onze filhos se reuniram em conselho. Siggeir tinha uma grande força de homens com ele, e se eles se recusassem a entregá-la, ele poderia matar todos eles e devastar seu reino. Além disso, eles se comprometeram a dar a Signy quando lhe enviaram uma mensagem de boas-vindas. O pai e seus filhos fizeram um longo conselho juntos, e os dez irmãos de Signy disseram:

— Deixe Signy se casar com este rei. Ele não é tão mau quanto parece em sua mente.

Mas um deles falou:

— Não vamos dar nossa irmã a este rei maligno. Em vez disso, vamos todos para lutar com o Salão de Branstock em chamas acima de nossas cabeças.

Foi Sigmund, o mais novo dos Volsungs, que disse isso. Mas o pai de Signy disse:

— Não sabemos nada de mal do Rei Siggeir. Nossa palavra também foi dada a ele. Deixe-o festejar conosco esta noite no Salão de Branstock e deixe Signy ir como sua esposa.

Então eles olharam para ela e viram o rosto de Signy branco e rígido.

— Que seja como vocês disseram, meu pai e meus irmãos — disse ela —Vou me casar com o Rei Siggeir e ir com ele para além das fronteiras.

Foi o que ela disse em voz alta. Mas Sigmund ouviu-a dizer a si mesma: "É uma desgraça para os Volsungs."

Um banquete foi feito e Rei Siggeir e seus homens foram ao salão de Branstock. Fogos foram acesos e mesas foram postas, e grandes chifres de hidromel circularam entre os convidados. No meio da festa, um estranho entrou no salão. Ele era ainda mais alto do que o mais alto lá, e seu comportamento fez todos reverenciarem ele. Um ofereceu-lhe um chifre de hidromel, e ele bebeu. Então, debaixo do manto azul que ele usava, ele sacou uma espada que fez o brilho do salão ficar ainda mais brilhante.

O homem foi até Branstock, a árvore ao redor da qual o salão foi construído e enfiou a espada nela. Todos ao redor ficaram silenciados. Então, eles ouviram a voz do estranho, uma voz que era como o toque de uma trombeta: "A espada é para a mão que pode tirá-la para fora de Branstock." Assim, ele saiu do salão.

Todos olharam para onde a espada foi colocada e viram um brilho maravilhoso de amplitude de uma palma. Aqueles que teriam colocado as mãos no punho da espada, ouviam apenas a voz de Volsung para que parasse imediatamente. "É sabido", disse ele, "que nosso convidado e nosso genro, o Rei Siggeir, devem ser os primeiros a colocar as mãos no punho e tentarem tirar a espada para fora de Branstock."

Rei Siggeir foi para a árvore e colocou as mãos no punho largo da espada. Ele se esforçou para sacá-la, mas nem toda a sua força não podia movê-la. Como ele se esforçou para arrancá-la e falhou, um olhar escuro de raiva emergiu em seu rosto.

Então outros capitães que estavam com o Rei Siggeir também tentaram retirá-la, mas eles também não conseguiram mover a espada. Depois, Volsung tentou e não conseguiu movê-la. Um após o outro, seus onze filhos se esforçavam para sacar a espada do estranho. Finalmente chegou a vez de Sigmund, o mais novo, tentar. Quando Sigmund colocou a mão no largo punho, eis que a retirou! A espada veio junto com a mão, e mais uma vez o salão foi iluminado com seu brilho maravilhoso.

Era uma espada fascinante, feita do melhor metal e pelos ferreiros mais astutos do que qualquer outro conhecido. Todos invejavam Sigmund pois ele tinha ganhado para si uma arma maravilhosa.

Rei Siggeir olhou para ele com olhos gananciosos:

— Te darei seu peso em ouro por essa espada, bom irmão — disse ele.

Mas Sigmund disse-lhe orgulhosamente:

— Se a espada fosse para tuas mãos, você teria vencido. A espada não era para ser sua, mas para as mãos de um Volsung.

Signy, olhando para Rei Siggeir, viu um olhar de mal profundo se revelar em seu rosto. Ela sabia que o ódio por toda a raça Volsung estava em seu coração.

Mas no final da festa ela já estava casada com Rei Siggeir e, no dia seguinte, ela deixou o salão de Branstock e foi com ele até seu grande navio pintado que estava ancorado na praia. Quando seu pai e seus irmãos estavam se separando dela, Rei Siggeir os convidou para virem ao seu país, para os visitarem como amigos e parentes, e ver Signy novamente. Ele ficou na praia e não iria entrar a bordo até que todos e cada um dos Volsungs dessem sua palavra de que iriam visitar Signy e ele em sua própria terra. "E quando você vier", disse ele a Sigmund, "certifique-se de trazer consigo a poderosa espada que você conquistou."

Tudo isso foi pensado por Sigurd, filho de Sigmund, enquanto ele cavalgava em direção à beira da floresta.

O momento de Volsung e seus filhos redimirem a promessa que fizeram ao Rei Siggeir havia chegado. Eles prepararam seu navio e navegaram partindo da terra onde ficava o salão de Branstock. E eles desembarcaram na costa do país de Rei Siggeir, e então ancoraram seu navio na praia e fizeram seu acampamento lá, com a intenção de ir ao salão do rei na ampla luz do dia.

Mas na meia luz do amanhecer alguém se aproximou do navio Volsung. Um manto e um capuz cobriam a figura, mas Sigmund, que era o observador, sabia quem era. "Signy!", disse ele, e Signy pediu que seu pai e seus irmãos se mantivessem acordados até que ela falasse sobre uma traição que foi preparada contra eles.

— O Rei Siggeir preparou um grande exército contra a vinda de vocês — ela lhes disse — Ele odeia os Volsungs, tanto o ramo quanto a raiz, e seu plano é cair sobre vocês, meu pai e meus irmãos, com seu grande exército, e matar a todos. E ele tomaria Gram, a espada maravilhosa de Sigmund. Portanto, eu digo a vocês, Volsungs, arrastem seu navio para o mar e naveguem para longe da terra onde tal traição pode estar.

Mas Volsung, seu pai, não quis ouvir.

— Os Volsungs não partem como homens fracos de uma terra para a qual trouxeram seu navio — disse ele — Demos a todos a palavra de que visitaríamos o Rei Siggeir, e o visitaremos. Se ele é um covarde e cair sobre nós, apenas porque somos os Volsungs invictos, lutaremos contra ele e seu exército e os mataremos, e o levaremos de volta conosco para o Salão de Branstock. Agora o dia amanhece, então vamos para o salão.

Signy teria falado do grande exército que o Rei Siggeir tinha reunido, mas ela sabia que os Volsungs nunca se reuniriam para falar sobre as probabilidades. Ela não falou mais; abaixou a cabeça e voltou para o salão do Rei Siggeir.

Siggeir sabia que Signy tinha saído para avisar seu pai e seus irmãos. Ele chamou os homens que tinha reunido e postou-os astutamente no caminho que os Volsungs viriam. Então, ele enviou um para o navio com uma mensagem de boas-vindas.

Quando deixaram a embarcação, o exército de Rei Siggeir caiu sobre os Volsungs e seus seguidores. Muito feroz foi a batalha que foi travada na praia, e muitos dos ferozes combatentes do Rei Siggeir caíram ante os destemidos que fizeram companhia a Volsung. Mas finalmente, o próprio Volsung foi morto e seus onze filhos foram levados em cativeiro. E Gram, sua poderosa espada, foi tirada das mãos de Sigmund.

Os onze príncipes Volsung foram trazidos diante do Rei Siggeir em seu salão. Siggeir riu ao vê-los diante dele.

— Vocês não estão no salão de Branstock para me desonrar com aparência negra e palavras desdenhosas — disse ele — e uma tarefa mais difícil será dada a você do que a de tirar uma espada de um tronco de árvore. Antes do pôr do sol, eu vou vê-lo entalhá-la em pedaços com a espada.

Então Signy, que estava lá, levantou-se com seu rosto branco e seus olhos arregalados, e ela disse:

— Não peço por uma vida mais longa para meus irmãos, pois bem sei que meus pedidos de nada lhes valeriam. Mas você não presta atenção ao provérbio, Siggeir - "doce para os olhos enquanto os olhos podem ver"?

Siggeir riu com uma risada maligna quando ouviu o provérbio.

— Sim, minha rainha — disse ele — doce são os olhos desde que os olhos possam ver seus tormentos. Eles não morrerão de uma vez, nem todos juntos. Vou deixá-los ver uns aos outros morrer.

Então Siggeir deu uma nova ordem às suas tropas. A ordem era que os onze irmãos fossem levados para as profundezas da floresta, acorrentados a grandes vigas e deixados lá. E assim foi feito com os onze filhos de Volsung.

No dia seguinte, um da tropa de Siggeir que tinha assistido ao ocorrido e que era fiel a Signy apareceu, e Signy disse-lhe:

— O que aconteceu com meus irmãos?

O observador disse:

— Um grande lobo chegou onde estão os homens acorrentados, e devorou o primeiro deles.

Quando Signy ouviu isso, nenhuma lágrima veio aos seus olhos, mas o que era difícil para seu coração tornou-se ainda mais difícil. Ela disse:

— Vá de novo, e veja o que acontece.

E o observador foi pela segunda vez e disse:

— O segundo de seus irmãos foi devorado pelo lobo.

Signy não derramou lágrimas desta vez também, mas novamente o que era difícil para de seu coração, tornou-se ainda mais difícil.

E todos os dias o observador vinha e ele dizia a ela o que tinha acontecido com seus irmãos.

— Um de seus irmãos foi deixado vivo; Sigmund, o mais novo.

Então disse Signy:

— Não sem recursos fomos deixados neste final. Pensei no que deve ser feito. Leve um pote de mel para onde ele está acorrentado e manche o rosto de Sigmund com o mel.

O observador fez o que Signy pediu.

Mais uma vez o grande lobo veio ao longo das florestas-caminhos para onde Sigmund foi acorrentado. Quando ele caiu sobre ele, encontrou o mel em seu rosto. No momento em que o lobo colocou a língua para lamber sobre seu rosto, Sigmund, com seus dentes fortes, agarrou a língua do lobo. Ele lutou e lutou com toda a sua força, mas Sigmund não soltou sua língua. A luta com a besta quebrou a corrente que o prendia. Naquele momento, Sigmund agarrou o lobo com as mãos e rasgou suas mandíbulas.

O observador viu isso acontecendo e contou isso para Signy. Uma alegria feroz passou por ela, que disse: "Um dos Volsungs vive, e a vingança será feita sobre o Rei Siggeir e sobre sua casa."

Ainda assim, o observador ficou nos caminhos da floresta, e ele marcou onde Sigmund construiu uma cabana escondida para si. Muitas vezes ele trazia mensagens de Signy para Sigmund. Então Sigmund tomou os caminhos do caçador e do foragido, mas ele não abandonou a floresta. E o Rei Siggeir não sabia que um dos Volsungs vivia e estava perto dele.

A história de Sigmund e Sinfiotli

Enquanto Sigurd cavalgava pelos caminhos da floresta, pensava sobre Sigmund, seu pai, sobre sua vida e sua morte, de acordo com o que Hiordis, sua mãe, lhe havia dito. Sigmund viveu por muito tempo a vida do caçador e do foragido, mas ele nunca se desviou para longe da floresta que estava no domínio do Rei Siggeir. Muitas vezes ele recebia uma mensagem de Signy. Eles dois, os últimos dos Volsungs, sabiam que Rei Siggeir e sua casa teriam que perecer pela traição que ele havia feito ao pai e seus irmãos.

Sigmund sabia que sua irmã enviaria seu filho para ajudá-lo. Numa manhã, chegou à sua cabana um menino de dez anos. Ele sabia que este era um dos filhos de Signy, e que ela o havia treinado para ser um guerreiro digno da raça Volsung.

Iluminura do século XI mostra uma mulher matando um viking que tentou estuprá-la; então, por conta da coragem, os camaradas dele a elogiam e dão a ela os pertences do morto: as mulheres eram frequentemente violentadas durante os saques

Sigmund mal olhou e mal falou com o rapaz. Ele estava indo caçar, e quando tirou a lança da parede, ele disse: "Tem o saco de refeição, garoto. Misture a refeição e faça o pão, e nós vamos comer quando eu voltar."

Quando ele voltou, o pão não tinha sido feito e o menino estava de pé observando o saco de refeição com os olhos abertos.

— Você não fez o pão? — Sigmund disse.

— Não — disse o garoto — eu estava com medo de chegar perto do saco. Algo mexia dentro dele.

— Você tem o coração de um rato para se assustar. Volte para sua mãe e diga a ela que não é em você que encontro um guerreiro Volsung.

Assim Sigmund falou, e o menino foi embora chorando.

Um ano depois, outro filho de Signy veio. Como antes, Sigmund mal olhou e mal falou com o menino. Ele disse:

— Ali há o saco de refeição. Misture a refeição e prepare o pão para quando eu voltar.

Quando Sigmund voltou o pão não estava feito. O garoto tinha se encolhido para longe de onde o saco estava.

— Você não fez o pão? — Sigmund disse.

— Não — disse o garoto — algo mexia dentro do saco e eu estava com medo.

— Você tem o coração de um rato. Volte para sua mãe e diga a ela que não há em ti o material para a criação de um guerreiro Volsung.

E esse garoto, como seu irmão, voltou chorando.

Naquela época, Signy não tinha outros filhos. Mas finalmente um nasceu para ela, o filho de um pensamento desesperado. Ele, também, quando cresceu, foi enviado para Sigmund.

— O que sua mãe disse a ti? — Sigmund disse a este garoto quando ele apareceu na cabana.

— Nada. Ela costurou luvas para as minhas mãos e, em seguida, ordenou-me puxá-las fora.

— E você fez isso?

— Sim, e minha pele veio com elas.

— E você chorou?

— Um Volsung não chora por tal coisa.

Sigmund olhou durante um bom tempo para o rapaz. Ele era alto, justo e tinha grandes membros, e não havia medo em seus olhos.

— O que você quer que eu faça para você? — disse o rapaz.

— Ali há o saco de refeição — disse Sigmund — Misture a refeição e faça o pão para mim no tempo que eu voltar.

Quando Sigmund voltou, o pão estava assando nas brasas.

— O que você fez com a refeição? — Sigmund perguntou.

— Eu misturei. Algo estava na refeição. Uma serpente, eu acho, mas eu amassei-a com a refeição, e agora a serpente está assando sobre as brasas.

Sigmund riu e jogou seus braços em volta do menino.

— Você não vai comer desse pão — disse ele — Você amassou-o com uma serpente venenosa.

O nome do garoto era Sinfiotli. Sigmund o treinou nos caminhos do caçador e do foragido. Aqui e ali eles foram se vingando dos homens do Rei Siggeir. O garoto era feroz e nunca falou uma palavra falsa.

Um dia, quando Sigmund e Sinfiotli estavam caçando, eles se depararam com uma casa estranha de madeira escura. Quando entraram, encontraram dois homens deitados dormindo profundamente. Em seus braços, estavam anéis pesados de ouro, e Sigmund sabia que eles eram os filhos do rei.

Ao lado dos homens adormecidos eles viram peles de lobo, deixadas lá como se tivessem sido abandonadas. Então Sigmund sabia que esses homens eram metamorfos: eram eles que mudaram suas formas e vagavam através das florestas como lobos.

Sigmund e Sinfiotli colocaram as peles que os homens tinham deixado de canto, e quando eles fizeram isso, mudaram suas formas e tornaram-se como lobos. E como lobos, eles vagaram através da floresta, mudando, de tempos em tempos, suas formas de volta para as dos homens. Como lobos, eles caíram sobre os homens do Rei Siggeir e mataram mais e mais deles.

Um dia Sigmund disse a Sinfiotli:

— Você ainda é jovem e eu não gostaria que você fosse tão imprudente. Se você encontrar uma companhia de até sete homens, lute contra eles. Mas se você ver uma companhia maior que sete, levante sua voz como o grito de um lobo e traga-me para o seu lado

E Sinfiotli prometeu que faria isso.

Um dia, enquanto atravessava a floresta em forma de lobo, Sigmund ouviu o barulho de uma luta e parou para ouvir o chamado de Sinfiotli. Mas nenhum chamado veio. Então Sigmund atravessou a floresta na direção da luta. Em seu caminho ele passou por corpos de onze homens mortos. E ele se deparou com Sinfiotli deitado no pântano com a forma de seu lobo sobre ele e ofegante da batalha que ele tinha travado.

— Você lutou com onze homens. Por que você não me chamou? — Sigmund disse.

— Por que eu deveria ter chamado a você? Eu não sou tão fraco, eu posso me esforçar com onze homens.

Sigmund ficou irritado com essa resposta. Ele olhou para Sinfiotli onde estava, e a natureza do lobo malvado que estava na pele veio sobre ele. Ele saltou sobre ele, afundando seus dentes na garganta de Sinfiotli.

Sinfiotli estava ofegante na agonia da morte. E Sigmund, conhecendo o aperto mortal que estava em suas mandíbulas, uivou sua angústia.

Então, ele lambeu o rosto de seu companheiro, e viu duas doninhas se encontrarem. Elas começaram a brigar, uma com a outra, e a primeira pegou a segunda na garganta, mordeu-a e colocou-a para fora como se estivesse na morte. Sigmund observou o combate e o fim dele. Mas então, a primeira doninha correu e encontrou folhas de uma certa erva e as colocou sobre o ferimento de sua companheira. E a erva curou a ferida, e a doninha que foi mordida se levantou e estava sã e salva novamente.

Sigmund foi à procura da erva que viu a doninha levar para sua companheira. Enquanto ele procurava pela erva, Sigmund viu um corvo com uma folha em seu bico. Ela deixou cair a folha e ele foi até ela, e eis que era a mesma folha que a doninha tinha trazido para sua companheira. Sigmund pegou e colocou na ferida que tinha feito na garganta de Sinfiotli, e a ferida cicatrizou, e Sinfiotli foi salvo mais uma vez. Eles voltaram para sua cabana na floresta, e no dia seguinte queimaram as peles de lobo, e rezaram para que eles nunca mais fossem aflitos com a natureza maligna do lobo. E assim, Sigmund e Sinfiotli nunca mais mudaram suas formas.

A história da vingança dos Volsungs e da morte de Sinfiotli

Sinfiotli havia chegado ao ápice de sua força e era hora de se vingar do Rei Siggeir pelo assassinato de Volsung e pela condenação que ele tinha estabelecido aos dez filhos de Volsung. Sigmund e Sinfiotli colocaram capacetes em suas cabeças, pegaram espadas em suas mãos e foram para o Salão do Rei Siggeir. Eles se esconderam atrás dos barris de cerveja que estavam na entrada e esperaram que os homens armados deixassem o salão para que eles pudessem cair sobre o Rei Siggeir e seus acompanhantes.

As crianças mais novas, filhas do Rei Siggeir, estavam brincando no Hall quando uma delas deixou cair uma bola, que foi rolando atrás dos barris de cerveja. A criança, procurando a bola, viu dois homens agachados com espadas nas mãos e capacetes em suas cabeças.

Então, a criança contou a um criado, que em seguida contou ao rei. Siggeir se levantou e criou uma estratégia para colocar seus homens armados em volta deles, posicionando seus homens ao redor dos que estavam escondidos atrás dos barris. Sigmund e Sinfiotli levantaram-se e lutaram contra os homens do Rei Siggeir, mas foram capturados.

Porém, eles não poderiam ser mortos ali e nem depois, pois era ilegal matar prisioneiros após o pôr-do-sol. Mas causa disso, Rei Siggeir não os deixaria acima do solo. Decretou que deveriam ser colocados num poço, e feito um monte sobre eles para que fossem enterrados vivos.

A sentença foi cumprida. Uma grande pedra foi colocada para dividir o poço em dois, para que Sigmund e Sinfiotli pudessem ouvir a luta um do outro, mas não pudessem dar ajuda um ao outro. Tudo foi feito como o Rei ordenou.

Mas enquanto seus servos estavam colocando terra sobre o poço, um deles se aproximou, camuflado e encapuzado, e deixou cair algo envolto em palha ao lado do poço onde Sinfiotli estava. E quando o céu desapareceu com a terra que foi colocado sobre o poço, Sinfiotli gritou para Sigmund:

— Eu não vou morrer, pois a rainha jogou para mim carne embrulhada em um pacote de palha.

E um tempo depois, Sinfiotli gritou para Sigmund:

— A rainha deixou uma espada na carne que ela jogou para mim. É uma espada poderosa. Talvez seja Gram, a espada que você me disse.

— Se for Gram — disse Sigmund — essa é uma espada que pode cortar através desta pedra. Empurre a lâmina contra ela e tente.

Sinfiotli enfiou a lâmina que atravessou ao outro lado. Então, um de cada lado, eles tomaram posse da espada e cortaram a grande pedra em dois. Depois, trabalhando juntos, foi fácil mudar o território e o solo. Os dois saíram embaixo do céu.

Ante deles estava o salão do Rei Siggeir. Eles foram até lá e jogaram madeira seca, queimaram a madeira, e fizeram o lugar pegar fogo. Quando o salão estava em chamas, o Rei Siggeir foi até a porta e gritou:

— Quem foi que incendiou a casa do rei?

E Sigmund disse:

— Eu, Sigmund, o filho de Volsung. Que você pode pague pela traição feita aos Volsungs.

Vendo Sigmund lá com Gram, a grande espada, em suas mãos, Siggeir voltou para seu salão. Então, Signy foi vista com seu rosto branco e seus olhos severos, e Sigmund chamou-a:

— Venha, venha. Sigmund te chama. Saia da casa em chamas de Siggeir e juntos voltaremos para o Salão de Branstock.

Mas Signy disse:

— Tudo está terminado agora. A vingança foi feita e eu não tenho mais o que manter em minha vida. A raça Volsung vive em você, meu irmão, e essa é a minha alegria. Não alegremente eu me casei com o Rei Siggeir e não alegremente eu vivi com ele, mas alegremente eu vou morrer com ele agora.

Ela foi dentro do Salão, e então as chamas inflamaram sobre ela e todos os que estavam dentro pereceram. E assim, a vingança dos Volsungs foi forjada.

Sigurd pensou no ato que Sigmund, seu pai, e Sinfiotli, o jovem que era parente de seu pai, executaram, e das coisas que depois disso lhes aconteceram, enquanto ele percorria os caminhos da floresta.

Sigmund e Sinfiotli deixaram a terra de Rei Siggeir e voltaram para a terra onde ficava o Salão de Branstock. Sigmund tornou-se um grande rei, e Sinfiotli foi o capitão de seu reinado.

E assim, a história de Sigmund e Sinfiotli continua sendo contada: Sigmund, que se casou com uma mulher cujo nome era Borghild, e Sinfiotli, que amou uma mulher que era amada pelo irmão de Borghild. Veio uma batalha em que os jovens estavam em lados opostos, e Sinfiotli matou o irmão de Borghild em um combate justo.

Sinfiotli voltou para casa. Para fazer as pazes entre ele e a rainha, Sigmund deu a Borghild uma grande medida de ouro como compensação pela perda de seu irmão. A rainha pegou e disse: "O valor do meu irmão é contado com isso, então não vamos mais falar sobre o seu assassinato." E assim, ela tornou Sinfiotli bem-vindo ao Salão de Branstock. Mas embora ela tenha se mostrado amigável com ele, seu coração foi destruído.

Naquela noite houve um banquete no Salão de Branstock, e Borghild, a rainha, foi a todos os convidados com um chifre de hidromel na mão. Ela veio para Sinfiotli, e deu o chifre para ele.

— Tire isso das minhas mãos, ó amigo de Sigmund! — disse ela.

Mas Sinfiotli viu o que estava em seus olhos e disse:

— Eu não vou beber deste chifre. Há veneno na bebida.

Para acabar com o escárnio que a rainha teria feito sobre Sinfiotli, Sigmund, que estava de prontidão, tirou o chifre da mão de Borghild. Nenhum veneno poderia feri-lo. Ele levou o hidromel a para os lábios e drenou-o em um gole.

A rainha disse a Sinfiotli:

— Outros homens devem beber sua bebida por ti?

Mais tarde, a rainha veio até ele novamente com o chifre de hidromel em sua mão. Ela ofereceu a Sinfiotli, mas ele olhou nos olhos dela e viu o ódio que estava lá.

— Essa bebida tem veneno — disse ele — Eu não vou tomá-la.

E novamente Sigmund pegou o chifre e bebeu o hidromel em um gole só. E novamente a rainha zombou de Sinfiotli.

Uma terceira vez, ela veio até ele. Antes de oferecer o chifre, ela disse:

— Este é o que teme tomar sua bebida como um homem. Que coração Volsung ele tem!

Sinfiotli viu o ódio em seus olhos, e a zombaria da rainha não poderia fazê-lo tirar o hidromel dela. Como antes, Sigmund estava em prontidão. Mas agora, ele estava cansado de levantar o chifre e disse a Sinfiotli: "Despeje a bebida através de sua barba."

Ele pensou que Sigmund quis dizer que ele deveria derramar o hidromel através de seus lábios que estavam barbudos e não causar mais problemas entre ele e a rainha. Mas Sigmund não quis dizer isso. Ele quis dizer que Sinfiotli deveria fingir beber e deixar o hidromel escorrer no chão. Sinfiotli, sem entender o que seu companheiro quis dizer, pegou o chifre da rainha, levantou-o aos lábios e bebeu. E assim que ele bebeu, o veneno que estava na bebida foi para o coração dele, e ele caiu morto no Salão de Branstock.

Lamentável foi para Sigmund ao ver a morte de seu parente e seu companheiro. Ele não deixava ninguém tocar no corpo dele. Ele mesmo levantou Sinfiotli em seus braços e levou-o para fora do Salão, através da madeira, até a costa. E quando ele chegou na costa, ele viu um barco parado com um homem lá dentro. Sigmund se aproximou e viu que o homem era velho e estranhamente alto. "Tirarei de ti a tua carga", disse o homem.

Sigmund deixou o corpo de Sinfiotli no barco, pensando em tomar um lugar ao lado dele. Mas assim que o corpo foi colocado, o barco saiu da terra sem vela ou remos. Sigmund, olhando para o velho que estava na popa, sabia que ele não era um homem mortal, mas era Odin, o Pai de Todos, aquele que deu a espada Gram.

Então Sigmund voltou para seu Salão. Sua rainha morreu, e com o tempo ele se casou com Hiordis, que se tornou a mãe de Sigurd. E agora Sigurd, o Volsung, filho de Sigmund e Hiordis, cavalgava pelos caminhos da floresta, com a espada Gram ao seu lado, e ao lado do Capacete Dourado do Tesouro do Dragão acima de seu cabelo dourado.

Brynhild na Casa das Chamas

Os caminhos da floresta o levaram para a encosta de uma montanha. Finalmente, ele chegou ao seu cume: Hindfell, onde as árvores caíram, deixando um lugar aberto para o céu e os ventos. Em Hindfell estava a Casa das Chamas. Sigurd viu as paredes pretas e altas, e ao redor delas havia um anel de fogo.

Enquanto ele cavalgava para mais perto, ouviu o rugido da montaria e o fogo circulando. Ele sentou-se em Grani, seu glorioso cavalo, e por muito tempo ele ficou olhando para as paredes negras e a chama que estava circulando ao seu redor.

Então, Sigurd dirigiu Grani para o fogo. Outro cavalo teria sido assustado, mas Grani permaneceu firme sob Sigurd. Para a parede de fogo eles foram, e Sigurd, que não sabia sobre o medo, passou por ela.

Agora, ele estava no pátio do salão. Não havia agitação de homem, cão ou cavalo. Sigurd, desmontado, ordenou que Grani ficasse parado. Ele abriu uma porta e viu uma sala com cortinas na qual foi forjado o padrão de uma grande árvore, uma árvore com três raízes, e o padrão foi

Nicholas Roerich "Convidados de Além Mar",
da série "O Começo dos Rus", 1901

levado através de uma parede a outra. Em um sofá, no centro da câmara, alguém estava dormindo. Na cabeça, havia um capacete, e do outro lado do peito, havia um peitoral. Sigurd tirou o capacete da cabeça, e em seguida, sobre o sofá, caiu um monte de cabelo de mulher - maravilhosos cabelos brilhantes. Esta foi a donzela que os pássaros lhe tinham dito.

Ele cortou os fechos do peitoral com sua espada, e olhou profundamente para ela. Bonito era seu rosto, mas severo, como o rosto de quem subjuga, mas pode não ser subjugado. Belos e fortes eram seus braços e suas mãos. Sua boca era bela, e acima de seus olhos fechados haviam sobrancelhas fortes e bonitas.

Seus olhos se abriram, e ela virou-os e olhou profundamente para Sigurd.

— Quem é você, que me despertou? — disse ela.

— Eu sou Sigurd, o filho de Sigmund, da raça Volsung — respondeu ele.

— E você cavalgou através do anel de fogo por mim?

— Sim, isso eu fiz.

Ela se ajoelhou no sofá e estendeu os braços para onde a luz brilhava. "Salve, ó Dia", ela gritou, "e salve, ó vigas que são os filhos do Dia. Ó Noite, e Ó filha da noite, que olhe para nós com olhos que abençoam. Salve, Ó Æsir e Ó Asyniur! Salve, ó campos de grande e pansão de Midgard! Que você nos dê sabedoria, e um discurso sábio, e poder de cura, e conceda-nos de que nada falso ou covarde possa chegar perto de nós!"

Tudo isso ela exclamou com os olhos abertos, mas ela tinha olhos que tinham neles todo o azul que Sigurd já havia visto: o azul das flores, o azul dos céus, o azul das lâminas de batalha. Ela virou esses grandes olhos para ele e disse: "Eu sou Brynhild, uma vez valquíria, mas agora uma donzela mortal, uma que conhecerá a morte e todas as tristezas que as mulheres mortais conhecem. Mas há coisas que eu posso não saber, coisas que são falsas e de nenhuma bravura."

Ela era a mais corajosa, a mais sábia e a mais bela do mundo: Sigurd sabia que ela era assim. Ele colocou sua espada Gram aos seus pés, e ele disse o nome dela: "Brynhild." Ele disse-lhe como tinha matado o dragão, e como ele tinha ouvido os pássaros falarem dela. Ela se levantou do sofá e amarrou seu cabelo maravilhoso em sua cabeça. Com admiração, ele a observava. Quando ela se moveu foi como se andasse sobre a terra.

Sentaram-se juntos e ela contou-lhe coisas maravilhosas e secretas. Ela disse a ele, também, como havia sido enviada por Odin de Asgard para escolher o servo para seu salão Valhalla, e para dar a vitória àqueles a quem ele queria tê-lo. Também contou como tinha desobedecido a vontade do Pai de Todos e como, por causa disso, tinha sido feita pária de Asgard. Odin colocou em sua carne o espinho da Árvore do Sono para que ela pudesse permanecer dormindo até que aquele que era o mais corajoso dos homens mortais acordasse-a. Quem quebrasse os fechos do peitoral tiraria o Espinho do Sono. "Odin me concedeu isso", ela disse, "que como empregada mortal eu deveria me casar com ninguém além daquele que é o mais corajoso do mundo. E para que ninguém além dele pudesse vir até mim, o Pai de Todos colocou um Anel de Fogo ao redor de onde eu estava dormindo. E é você, Sigurd, filho de Sigmund, que veio até mim. Você é o mais corajoso e eu acho sua arte a mais bonita também, como Tyr, o deus que empunha a espada.

Ela lhe disse que quem quer que tenha atravessado o fogo e a tenha reclamado como sua esposa, ela deve se casar com ele.

Eles conversaram um com o outro com carinho, e o dia fluiu por eles. Então Sigurd ouviu Grani, seu cavalo, relinchar para ele uma e outra vez. Ele gritou para Brynhild:

— Deixe-me partir do olhar de seus olhos. Eu sou aquele que deve ter o maior nome do mundo. Ainda não fiz de meu nome tão grande como meu pai e o pai de meu pai fizeram seus grandes nomes. Superei o Rei Lygni e matei Fafnir, o Dragão, mas isso é pouco. Eu faria de meu nome o maior do mundo, e suportaria tudo o que é preciso suportar para que isso acontecesse. Então eu voltaria para você na Casa das Chamas.

Brynhild disse-lhe:

— Bem falas. Faz grande o teu nome e suporta o que tens de suportar para que assim seja. Eu esperarei por você, sabendo que ninguém além de Sigurd poderá vencer o fogo que guarda onde eu moro.

Eles se olharam longamente um para o outro, mas pouco mais eles falaram. Em seguida, eles seguraram as mãos um do outro em despedida, e juraram em fé, prometendo um ao outro que eles levariam nenhum outro homem ou donzela como seu companheiro. E como sinal de sua fidelidade,

Sigurd pegou o anel que estava em seu dedo e colocou-o no de Brynhild – era o anel de Andvari.

Sigurd na Casa dos Nibelungs

Ele deixou Hindfell e entrou em um reino que era governado por um povo chamado de Nibelungs, assim como o povo de Sigurd era chamado de Volsungs. Giuki era o nome do rei daquela terra.

Giuki e sua rainha e todos os seus filhos deram boas-vindas a Sigurd quando ele veio ao seu salão, pois ele parecia alguém que poderia ganhar o nome do maior herói do mundo. Sigurd foi para a guerra ao lado dos filhos do rei, Gunnar e Högni, e os três fizeram grandes nomes para si mesmos, mas Sigurd brilhou acima dos outros.

Quando eles voltaram daquela guerra, havia grandes alegrias no salão dos Nibelungs, e o coração de Sigurd estava preenchido pela amizade por toda a raça Nibelung. Ele tinha amor pelos filhos do rei, Gunnar e Högni, e com eles fez juramentos de fraternidade. Daqui para frente, eles seriam como irmãos. O Rei Giuki tinha um enteado chamado Guttorm, mas ele não participava do juramento que ligava Sigurd e os outros na irmandade.

Depois da guerra que eles tinham travado, Sigurd passou um inverno inteiro no salão dos Nibelungs. Seu coração estava cheio de memórias de Brynhild e de desejos de cavalgar até ela na Casa das Chamas e levá-la com ele para o reino que Rei Giuki lhe teria dado. Mas ele ainda não voltaria para ela, pois tinha jurado dar mais ajuda aos seus irmãos.

Um dia, enquanto cavalgava sozinho, ouviu pássaros conversando uns com os outros e sabia as palavras que estavam dizendo. Um disse:

— Ali está Sigurd que usa o maravilhoso capacete que ele tirou do tesouro de Fafnir.

E o outro pássaro disse:

— Ele não sabe que com esse capacete, ele pode mudar sua forma como Fafnir mudou sua forma, e fazê-lo parecer com esta criatura ou aquela criatura, ou este homem ou aquele homem.

E o terceiro pássaro disse:

— Ele não sabe que o capacete pode fazer algo tão maravilhoso por ele.

Ele voltou para o salão dos Nibelungs, e no jantar ele disse-lhes o que tinha ouvido os pássaros dizerem. Sigurd mostrou-lhes o capacete maravilhoso. Também lhes contou como ele tinha matado Fafnir, o Dragão, e de como ele tinha ganho o poderoso tesouro para si mesmo. Seus dois irmãos jurados que estavam lá se alegraram por ele ter posses tão maravilhosas.

Mas mais precioso do que o tesouro, e mais maravilhoso do que o capacete, era a memória de Brynhild que ele tinha. Mas disso ele não disse uma única palavra.

Grimhild era o nome da rainha. Ela era a mãe de Gunnar e Högni e seu meio-irmão Guttorm. E ela e o rei tinham uma filha cujo nome era Gudrun. Agora, Grimhild era uma das mais sábias mulheres, e ela sabia quando olhou para ele que Sigurd era o maior guerreiro do mundo. Ela o faria pertencer aos Nibelungs, não apenas pelos juramentos de fraternidade que ele havia jurado com Gunnar e Högni, mas por outros laços. E quando ela ouviu falar do grande tesouro que era seu, a rainha tinha o desejo maior e a vontade de que ele se unisse aos Nibelungs. Ela olhou para o capacete de ouro e para a grande armadura que ele usava, e ela fez do propósito de seu coração que Sigurd se casasse com Gudrun, sua filha. Mas nem Sigurd e nem a donzela Gudrun sabiam da determinação de Grimhild.

A rainha, observando Sigurd de perto, sabia que ele tinha uma lembrança em seu peito que o impedia de ver a beleza de Gudrun. Ela tinha conhecimento de feitiços e cervejas secretas (ela era da raça de Borghild cuja bebida tinha destruído a vida de Sinfiotli), e ela sabia que poderia fazer uma poção que destruiria a memória que Sigurd tinha.

Ela misturou a poção. Então, uma noite, quando houve festa no salão dos Nibelungs, ela deu a taça que continha a poção nas mãos de Gudrun, e a fez levá-la para Sigurd.

Sigurd tirou o copo das mãos da bela donzela Nibelung e bebeu a poção. Quando ele bebeu, colocou o copo no chão e ficou parado entre os festeiros como um homem em um sonho. E como um homem em um sonho, ele entrou em seu quarto, e por um dia e uma noite depois, ele ficou em silêncio, pois sua mente estava perdida. Quando ele saía com Gunnar e Högni, diziam a ele: “O que é que você perdeu, irmão?” Sigurd não poderia dizer-lhes. Mas o que ele tinha perdido era toda a memória de Brynhild, a Valquíria na Casa de Chamas.

Ele viu Gudrun e foi como se ele olhasse para ela pela primeira vez. Macias eram as longas tranças de seu cabelo, e suave eram suas mãos. Seus olhos eram como flores de madeira, e seus caminhos e seu discurso eram gentis. No entanto, ela era nobre em seu porte, como uma princesa que vinha da realeza. E desde a primeira vez que ela o viu em cima de Grani, seu glorioso cavalo, e com seu capacete dourado acima de seu cabelo dourado, Gudrun tinha amado Sigurd.

Na estação em que os cisnes selvagens chegaram ao lago, Gudrun desceu para vê-los construir seus ninhos. E enquanto ela estava lá, Sigurd cavalgou pelos pinheiros. Ele a viu, e sua beleza fez todo o lugar mudar. Ele parou seu cavalo e ouviu sua voz enquanto ela cantava para os cisnes selvagens, cantando a canção que Völund fez para Alvit, sua noiva cisne.

O coração de Sigurd não estava mais vazio de memória: estava cheio da memória de Gudrun, de quando ele a viu perto do lago no momento em que os cisnes selvagens estavam construindo seus ninhos. E agora, ele a observava no corredor, sentada com sua mãe bordando, ou servindo seu pai ou seus irmãos, e a ternura pela donzela continuava crescendo em seu coração.

Um dia chegou quando ele pediu a Gunnar e Högni, seus irmãos juramentados, por Gudrun. Eles estavam felizes como se uma grande fortuna tivera recaído sobre eles. E os irmãos o trouxeram perante Giuki, o rei, e Grimhild, a rainha. Parecia que eles haviam jogado fora todos os problemas e preocupações e tivessem entrado no auge de sua vida e poder, e tanto o rei e quanto a rainha se alegraram com a união de Sigurd com os Nibelungs através de seu casamento com Gudrun.

Quando Gudrun soube que Sigurd a havia pedido, ela disse à rainha: "Oh, minha mãe, sua sabedoria deveria ter me fortalecido para suportar tal alegria. Como posso mostrar-lhe que ele é tão querido, tão querido para mim? Mas tentarei não o mostrar, pois ele poderia considerar que não havia sentido em mim a não ser o sentido de amá-lo. Tão grandioso um guerreiro não se importaria com tal amor. Eu estaria com ele como uma donzela de batalha."

Sigurd e Gudrun se casaram e todo o reino que os Nibelungs governavam se alegrou. A rainha Grimhild pensou que, embora o efeito da poção que ela deu se desgastasse, seu amor por Gudrun sempre preencheria seu coração, e que nenhuma outra memória seria capaz de encontrar um lugar lá.

Como Brynhild foi vencida por Gunnar

Agora que Sigurd se casara com Gudrun, ele era um dos Nibelungs. Ele havia trazido o tesouro que estava na caverna de Fafnir, e deixou em sua casa dos tesouros. Ele novamente foi para o reino de seu pai adotivo, e viu o Rei Alv e Hiordis, sua mãe. Mas, agora, ele não tinha memórias da Casa das Chamas, nem de Brynhild, que esperava lá por ele.

O Rei Giuki morreu, e Gunnar, o irmão de juramento de Sigurd, tornou-se rei em seu lugar. Sua mãe gostaria de casá-lo, mas Gunnar disse a ela que não tinha visto nenhuma donzela que ele escolheria como sua esposa.

Mas quando Sigurd e ele estavam juntos, Gunnar falou de uma donzela de longe, uma em que ele muitas vezes pensava. Um dia, quando Sigurd o pressionou para dizer quem era essa donzela, ele falou de alguém de quem o mais sábio dos poetas contou, uma donzela em um salão com chamas ao redor, uma donzela chamada Brynhild, que era guardada por um anel de fogo.

Sigurd riu ao pensar que seu irmão astuto foi enganado por alguém de quem só ele tinha ouvido falar. Mas se ele foi enganado pela história dela, por que ele não deveria vir até ela e se casar com ela? Então Sigurd disse o que pensou. Gunnar se inclinou para ele e perguntou a Sigurd se ele o ajudaria a ganhá-la? E Sigurd pegou a mão de Gunnar e jurou que ele iria.

Então eles partiram para Hindfell; Gunnar e Högni e Sigurd. Eles cavalgaram até que chegaram à vista das paredes negras com a montagem e o fogo circulando ao seu redor. Sigurd não tinha nenhuma memória do lugar. Com a chama da ânsia sobre seu rosto estólido, Gunnar avançou para cavalgar através do anel de fogo. Ele trouxe Goti, seu cavalo, para perto da chama, mas o cavalo, por nenhuma insistência, passaria pelo anel de fogo. Então Gunnar pensou que, montado em Grani, o cavalo de Sigurd, ele poderia andar através do anel de fogo. Ele montou em Grani e se aproximou da parede de fogo. Mas Grani, sabendo que aquele que o montou tinha medo do fogo, empinou-se, e não passaria por isso. Só com Sigurd nas costas que Grani atravessaria as chamas.

Os três irmãos jurados ficaram desconcertados. Mas depois que eles consideraram isso por muito tempo, Högni, o Sábio, disse: "Há uma maneira de conquistar Brynhild, que é Sigurd mudar de forma com Gunnar através da magia de seu capacete. Então Sigurd poderá montar Grani, atravessar o círculo de fogo e chegar a Brynhild na forma de Gunnar."

Assim falou Högni, o Sábio. Quando viu o olhar de seu jurado irmão fixo nele em súplica, Sigurd não pôde deixar de concordar a atravessar a chama e conquistar Brynhild da maneira que ele disse. E assim, pela magia de seu capacete, ele mudou de forma com Gunnar. Então, Sigurd montou Grani e cavalgou até a parede em chamas. E Grani, sabendo que aquele que ele tinha consigo não teria medo, atravessou o fogo em chamas. Então Sigurd entrou no pátio da Casa das Chamas. Ele desmontou de Grani, e ordenou que seu cavalo aguardasse.

Sigurd entrou no Salão e viu alguém com um arco nas mãos atirando em uma marca. Ela se virou para ele, e ele viu um rosto bonito e severo, com cabelos brilhantes e olhos que eram como estrelas em um mar que não havia sido aventurado. Ele pensou que a flecha nas mãos dela haviam sido atiradas nele. Mas não foi assim. Brynhild jogou o arco e veio até ele com aquele caminhar dela que parecia que se movia acima da terra. Quando ela se aproximou e olhou para ele, soltou um grito estranho.

— Quem é você? — disse ela — Quem é você que veio até mim através da parede de chamas?

— Gunnar, filho de Giuki, da raça dos Nibelungs. — disse Sigurd.

— É você o mais corajoso do mundo? — perguntou ela.

— Eu andei através da parede de chamas para vir até você. — respondeu Sigurd.

— Aquele que atravessou a parede de chamas pode me ter. — disse Brynhild. — Está escrito nas runas, e assim deve ser. Mas eu pensei que só haveria um que viria até mim através da parede de fogo.

Ela olhou para ele, e seus olhos tinham uma chama de raiva.

— Eu lutaria contigo com armas de guerra. — ela gritou. Então Sigurd sentiu as mãos fortes dela sobre ele; sabia que ela estava se esforçando para derrubá-lo.

Eles lutaram, e ambos eram tão fortes que ninguém podia mover o outro. Eles lutaram, Sigurd, o primeiro dos heróis, e Brynhild, a Valquí-

Ruínas de Gardar, Groenlândia

ria. Sigurd colocou a mão na dela durante a luta. Nessa mão havia um anel, e Sigurd dobrou o dedo para trás e o arrancou.

Era o anel de Andvari, o anel que ele mesmo havia colocado em seu dedo. E quando o anel foi tirado dela, Brynhild caiu de joelhos como se estivesse sem forças.

Então Sigurd levantou-a em seus braços e levou-a para onde Grani, seu cavalo, estava esperando. Ele ergueu-a sobre seu cavalo, montou atrás dela e novamente atravessou a parede de fogo. Högni e Gunnar estavam aguardando, e Gunnar estava na forma de Sigurd. Brynhild não olhou para eles, pois cobriu o rosto com as mãos. Então Sigurd retomou sua própria forma, e cavalgou à frente de Gunnar e Högni para o salão dos Nibelungs.

Ele entrou e encontrou Gudrun, sua esposa, brincando com Sigmund, seu filho pequeno. Sentou-se ao lado dela e disse-lhe tudo o que tinha acontecido: como, por causa da irmandade juramentada, ele tinha vencido Brynhild, a Valquíria, para Gunnar, e como ele tinha lutado com ela e vencido, e assim tinha tirado o dedo dela o anel que agora usava em si mesmo.

E enquanto falava com sua esposa, a emanação da poção que a mãe de Gudrun havia lhe dado começou a desaparecer, e ele passou a ter lembranças de ter ido à Casa das Chamas em um dia que não era aquele, e de ter atravessado a parede de fogo em sua própria forma. E novamente, como na noite em que ele bebeu a poção que a rainha Grimhild fabricou, ele se tornou como alguém cuja perspicácia estava perdida. Ele ficava olhando seu filho enquanto brincava, e sua esposa enquanto ela trabalhava em seus bordados, e era como um homem em um sonho.

Enquanto ele estava lá, Gunnar e Högni entraram no salão dos Nibelungs trazendo Brynhild com eles. Gudrun levantou-se para recebê-la, que foi apresentada como noiva de seu irmão. Então Sigurd olhou para Brynhild e ele se lembrou de tudo. E quando ele se lembrou de tudo, um suspiro tão forte subiu de seu coração como se rompessem os elos da cota de malha que estava sobre seu peito.

A morte de Sigurd

Aconteceu um dia em que Brynhild, esposa de Gunnar, e agora rainha, estava com a esposa de Sigurd tomando banho em um rio. Nem sempre elas estavam juntas. Brynhild era a mais soberba das mulheres, e muitas vezes tratava Gudrun com desdém. Mas enquanto se banhavam juntas, Gudrun, sacudindo o cabelo, lançou algumas gotas sobre Brynhild, que se afastou dali. Mas Gudrun seguiu-a rio acima sem saber que Brynhild tinha raiva dela.

— Por que você está indo para tão longe do rio, Brynhild? — Gudrun perguntou.

— Para que você não possa balançar o seu cabelo sobre mim. — respondeu Brynhild.

Gudrun ficou parada enquanto Brynhild subia o rio como uma criatura que foi feita para ficar sozinha.

— Por que você fala assim comigo, irmã? — Gudrun chorou.

Ela lembrou que desde o primeiro momento Brynhild havia sido arrogante com ela, muitas vezes falando com dureza e amargura. Ela não sabia que motivo Brynhild tinha para isso.

Foi porque Brynhild tinha visto Sigurd como aquele que havia cavalgado através do fogo pela primeira vez, aquele que a havia acordado quebrando a maldição de seu coração e assim tirando de sua carne do espinho da Árvore do Sono. Ela lhe deu seu amor quando acordou para o mundo. Mas ele, como ela pensava, tinha esquecido dela facilmente, dando seu amor a esta outra donzela. Brynhild, que tinha orgulho de uma Valquíria, ficou com uma furiosa raiva em seu coração.

— Por que você fala assim comigo, Brynhild? — Gudrun perguntou.

— Seria ruim, de fato, se gotas de seu cabelo caíssem sobre alguém que está muito acima de ti e que é a esposa do Rei Gunnar. — respondeu Brynhild.

— Você é casada com um rei, mas não com alguém que é mais valoroso do que meu senhor. — disse Gudrun.

— Gunnar é mais valoroso, porque comparar Sigurd com ele? — Brynhild disse.

— Ele matou o dragão Fafnir, e ganhou para si o tesouro dele. — disse Gudrun.

— Gunnar atravessou o anel de fogo. Talvez você diga que Sigurd fez o mesmo. — disse Brynhild.

— Sim. — disse Gudrun, agora com raiva. — Foi Sigurd e não Gunnar que atravessou o anel de fogo. Ele passou pelas chamas em forma de Gunnar e tirou o anel do teu dedo, e olha, agora está em minha mão.

Gudrun estendeu a mão em que havia o anel de Andvari. Então Brynhild sabia, de uma só vez, que o que Gudrun disse era verdade. Foi Sigurd que atravessou o círculo de fogo, assim como a primeira vez. Foi ele quem lutou com ela, tirando o anel de sua mão e reivindicando-a como noiva, não para ele, mas para outro, e por desdém.

Falsamente ela havia sido conquistada. Ela, uma das Valquírias de Odin, tinha se tornado noiva de alguém que não era o herói mais corajoso do mundo, e ela, a quem a inverdade não poderia vir, tinha sido enganada. Ela estava em silêncio agora, e todo o orgulho que estava nela se tornou ódio de Sigurd.

Ela foi até Gunnar, seu marido, e disse-lhe que ela estava tão profundamente envergonhada que ela nunca poderia ser feliz em seu salão novamente; que nunca a veria bebendo vinho, nem bordando com fios dourados, e nunca a ouviria falando palavras de bondade. E quando ela disse isso a ele, ela rasgou a teia que estava tecendo, e chorou em voz alta para que todos no corredor a ouvissem, e todos ficaram chocados ao ouvir a rainha orgulhosa chorar.

Então Sigurd veio até ela e ofereceu como indenização todo o tesouro de Fafnir. Ele disse-lhe como o esquecimento dela havia recaído sobre ele, e implorou para que ela o perdoasse por ter sido falso com ela. Mas ela respondeu-lhe: "Você veio até mim tarde demais, Sigurd. Agora eu tenho apenas uma grande raiva em meu coração."

Quando Gunnar chegou, ela disse-lhe que o perdoaria e o amaria como nunca se ele matasse Sigurd. Mas Gunnar não o mataria. Embora a paixão de Brynhild tenha o comovido muito, Sigurd era seu irmão de juramento.

Então ela foi para Högni e pediu-lhe para matar Sigurd, dizendo-lhe que todo o tesouro de Fafnir pertenceria aos Nibelungs se Sigurd fosse morto. Mas Högni não o mataria, já que Sigurd e ele eram irmãos jurados.

Havia um que não tinha jurado irmandade com Sigurd. Ele era Guttorm, o meio-irmão de Gunnar e Högni. Brynhild foi até Guttorm. Ele não mataria Sigurd, mas Brynhild descobriu que ele era fraco de vontade e instável em pensamento. Com Guttorm, então, ela trabalharia pelo assassinato de Sigurd. Sua mente estava fixa que ele e ela não estariam mais tempo no mundo dos homens.

Ela fez um prato de loucura para Guttorm - veneno da serpente e carne de lobo misturado - e quando ele comeu, Guttorm ficou louco. Então ele ouviu as palavras de Brynhild, e ela ordenou que ele entrasse na câmara onde Sigurd dormia e esfaqueasse seu corpo com uma espada.

Lá foi Guttorm. Mas Sigurd, antes de perder sua vida, pegou Gram, sua grande espada, e atirou-a em Guttorm, cortando-o em dois.

E Brynhild, sabendo o que tinha sido feito, saiu e foi até onde Grani, o glorioso cavalo de Sigurd, estava parado. Ela ficou lá com os braços no pescoço de Grani, a Valquíria inclinada sobre o cavalo que nasceu do cavalo de Odin. Grani percebeu algum som. Ele ouviu os gritos de Gudrun sobre Sigurd, e então seu coração não aguentou e ele morreu.

Eles tiraram Sigurd para fora do salão e Brynhild foi ao lado de onde o colocaram. Ela pegou uma espada e a enfiou no seu próprio coração. Assim morreu Brynhild, que havia sido feita uma mulher mortal por sua desobediência à vontade de Odin, e que foi conquistada para ser esposa de um mortal por uma falsidade.

Eles levaram Sigurd e seu cavalo Grani, seu capacete e seu equipamento de guerra dourado, e deixaram todos em um grande navio pintado. Eles não poderiam deixar Brynhild ao lado dele; Brynhild com seu cabelo maravilhoso e seu rosto severo e bonito. Mas, eles deixaram os dois juntos e lançaram o navio no mar. E quando o barco estava na água eles incendiaram-no, e Brynhild, mais uma vez, pôs-se em chamas.

E assim Sigurd e Brynhild foram se juntar a Baldur e Nanna no habitat de Hela.

Gunnar e Högni temeram pelo mal que estava no tesouro. Eles levaram a massa cintilante até o rio em cujas margens, séculos antes, Hreidmar tivera sua ferraria e o Anão Andvari, sua caverna. De uma rocha no rio, eles lançaram o ouro e as joias na água e o cesto de Andvari afundou para sempre sob as ondas. Então, as donzelas do rio voltaram a ter posse de seu tesouro. Mas não foi por muito tempo que elas o guardaram e cantaram sobre ele, pois a estação que se chamava Inverno Fimbul estava chegando sobre a terra, e Ragnarök, o Crepúsculo dos Deuses, estava chegando para os habitantes de Asgard.

O crepúsculo dos deuses

A neve caiu sobre os quatro cantos do mundo. Ventos gelados sopravam de todos os lados, o sol e a lua foram escondidos por tempestades. Era o inverno Fimbul: nenhuma primavera chegou e nenhum verão nem outono trouxe colheita ou frutas; o inverno trouxe o inverno novamente.

Houve três anos de inverno. O primeiro foi chamado de inverno dos ventos: tempestades sopraram, neves caíram e as geadas foram poderosas. Os filhos dos homens dificilmente poderiam se manter vivos naquele inverno rigoroso.

O segundo inverno foi chamado de inverno da espada: aqueles que foram deixados vivos entre os homens roubaram e mataram pelo que restava para se alimentar; irmão caiu sobre irmão e mataram-se; em todo o mundo houve batalhas poderosas.

E o terceiro inverno foi chamado de inverno do lobo. A bruxa anciã que vivia em Jarnvid, a Floresta de Ferro, alimentou o lobo Managarmo com homens não enterrados e com cadáveres daqueles que caíram em batalha. Poderosamente cresceu e floresceu o lobo que seria o devorador de Mani, a Lua. Os heróis em Valhalla encontrariam seus assentos com o sangue escorrido que Managarm tracejou com suas mandíbulas. E este era um sinal para os deuses que o tempo da última batalha estava se aproximando.

Uma multidão de galos; bem abaixo das entranhas da terra onde ele estava, e ao lado de onde habitava Hela, o galo vermelho-ferrugem da horda Hel, com seu canto, fez um rebuliço nos mundos inferiores. Em Jötunheim, um galo cantou: Fialar, o galo carmesim, que fez com que os gigantes despertassem. No alto de Asgard, entre uma multidão de galos, o galo dourado Gullinkambir, que agitou os heróis de Valhalla com seu canto.

Um cachorro latiu; no fundo da terra, um cão latiu. Era Garm, o cão com a boca ensanguentada, latindo na caverna de Gnipa. Os anões ouviram um gemido diante de suas portas de pedra. A árvore Yggdrasil gemeu em todos os seus ramos. Havia um ruído de rachaduras enquanto os gigantes moviam seu navio; e houve um som de atropelo quando as hostes de Muspelheim reuniram seus cavalos.

Mas Jötunheim, Muspelheim e Hel esperaram trêmulos. Poderia ser que Fenrir, o Lobo, não rompesse os laços com os quais os deuses o mantinham amarrado. Sem ele ser solto, os deuses não poderiam ser destruídos. E então se ouviu o romper da rocha quando Fenrir se soltou. Pela segunda vez, o cão Garm latiu na caverna de Gnipa.

Em seguida, foi ouvido o galope dos cavalos dos cavaleiros de Muspelheim. Então, foi ouvido o riso de Loki, e depois o sopro de chifre Heimdall. Assim foi ouvida a abertura das quinhentas e quarenta portas de Valhalla, enquanto oitocentos heróis se preparavam para passar por cada porta.

Odin buscou conselho com a cabeça de Mimir. Das águas do poço da sabedoria ele a tirou, e pelo poder das runas ele sabia como fazer a cabeça falar com ele. Onde melhor poderiam os Æsir, os Vanir e os Einherjar, que foram os heróis de Midgard, se encontrarem, e de que modo eles poderiam lutar melhor com as forças de Muspelheim, Jötunheim e Hel? O chefe de Mimir aconselhou Odin a encontrá-los na Planície de Vigard e lá travar a guerra em que os poderes do mal seriam destruídos para sempre, mesmo que seu próprio mundo pudesse ser destruído com eles.

Os cavaleiros de Muspelheim chegaram a Bifröst, a Ponte do Arco-Íris. Agora eles atacariam a Cidade dos Deuses e a encheriam de fogo. Mas Bifröst quebrou sob o peso dos cavaleiros de Muspelheim, e eles não puderam ir para a Cidade dos Deuses.

Jörmungand, a serpente que circunda o mundo, levantou-se do mar. As águas inundaram as terras e o restante dos habitantes do mundo foram varridos. Aquela poderosa inundação fez Naglfar flutuar, o Navio das Unhas que os Gigantes estavam construindo tanto tempo; flutuou também o navio de Hel. Com Hrymer, o Gigante, dirigindo-o, Naglfar navegou contra os deuses com todos os poderes de Jötunheim a bordo. E Loki guiou o navio de Hel com o lobo Fenrir para o lugar da última batalha.

Desde que Bifröst padeceu, o Æsir e o Vanir, o Asyniur e o Vana, os Einherjar e as Valquírias subiram até Vigard através das águas de Thund. Odin foi à frente de seus heróis. Seu capacete era de ouro e em sua mão estava sua lança Gungnir. Thor e Tyr estavam em sua companhia.

Em Mirkvid, a Floresta Negra, os Vanir enfrentaram o exército de Muspelheim. Do lado quebrado da Ponte do Arco-Íris, os cavaleiros vieram, todos reluzentes e flamejantes, com o fogo à frente e atrás deles. Niörd estava lá com Skadi, sua esposa gigante, feroz em seu vestido de guerra. Freya estava lá também, e Frey tinha Gerda ao seu lado como uma donzela de batalha. Intensamente brilhou a espada de Surtur. Nenhuma espada jamais possuía tal brilho, exceto a espada que Frey tinha dado a Skirnir. Frey e Surtur lutaram, e ele pereceu. Frey morreu naquela batalha, mas isso não aconteceria se tivesse em suas mãos a sua própria espada mágica.

E agora, pela terceira vez, Garm, o cão com sangue em suas mandíbulas, latiu. Ele tinha se soltado no mundo e com saltos ferozes ele correu em direção à Planície Vigard, onde os deuses tinham reunido seus poderes. Garm latiu alto. A águia Hræsvelgur gritou à beira do céu. Então os céus foram fendidos e a árvore Yggdrasil foi abalada em todas as suas raízes.

O navio de Jötunheim e o navio de Hel vieram para o lugar onde os deuses formaram suas fileiras, assim como os cavaleiros de Muspelheim e Garm, o cão com sangue em suas mandíbulas. E do mar que agora cercava a planície de Vigard veio a serpente Jörmungand.

O que disse Odin aos deuses e aos heróis que o cercaram? "Daremos nossas vidas e deixaremos nosso mundo ser destruído, mas lutaremos para que esses poderes malignos não vivam depois de nós." Do navio de Hel, saltou Fenrir, o Lobo. Sua boca era escancarada; sua mandíbula inferior se pendurava contra a terra e sua mandíbula superior raspava o céu. Contra o lobo, Odin, o Pai de Todos, não lutou. Thor não pôde ajudá-lo, pois tinha de encontrar Jörmungand, a serpente monstruosa.

Odin foi morto por Fenrir, o Lobo. Mas os deuses mais jovens estavam agora avançando para a batalha, e Vidar, o Deus Silencioso, ficou cara a cara com Fenrir. Ele colocou o pé na mandíbula inferior do lobo, pois aquela sandália que tinha em seu pé era feita de todos os pedaços de couro que os sapateiros tinham colocado para ele. Com as mãos, ele agarrou a mandíbula superior e rasgou sua garganta. Assim morreu Fenrir, o mais feroz de todos os inimigos dos deuses.

Jörmungand, a serpente monstruosa, teria subjugado a todos com o veneno que estava pronto para derramar. Mas Thor saltou para a frente e esmagou-a com um golpe de seu martelo Miölnir. Então Thor recuou nove passos, mas a serpente soprou seu veneno sobre ele, cegando, sufocando e queimando Thor, o Defensor do Mundo. E assim, ele pereceu.

Loki saltou de seu navio e guerreou com Heimdall, o Guardião da Ponte do Arco-Íris e o Observador dos Deuses. Loki matou Heimdall e também foi morto por ele.

Bravamente lutou Tyr, o deus que havia sacrificado sua espada para amarrar o lobo. Ele lutou com coragem e muitos dos poderes do mal pe-

أيضاً صاحبة القنطرة المعروفة بقنطرة خرّزاذ التي بين إيذج والرباط وهذه القنطرة من
عجائب الدنيا وذلك أنها مبنية على وادٍ يابس لا ماء فيه إلا في أوان المدود من الأمطار فإنه حينئذ
يصير بحراً عجاجاً وفتحه مع وجه الأرض أكثر من ألف ذراع وعمقه مائة وخمسون ذراعاً
وفتح أسفله في قرار نحو العشرة أذرع وقد ابتدئ بعمل هذه القنطرة من أسفلها إلى أن
بلغ بها وجه الأرض بالرصاص والحديد كلما علا البناء ضاق وجعل بين جنبيه وجنب الوادي
حشو من خبث الحديد وصبّ عليه الرصاص المذاب حتى صار بينه وبين وجه الأرض نحو
أربعين ذراعاً وصار فتحه هناك مائة واثنا عشر ذراعاً فعقدت القنطرة عليه ثم
على وجه الأرض وحشي ما بينها وبين جنبتي الوادي بالرصاص المصلّب بنحاتة النحاس
وهذه القنطرة طاق واحد عجيب الصنعة محكم العمل وكان المسمعي قطعها فمكثت دهراً
لا يتسع أحد لبنائها فأضرّ ذلك بالسابلة ومن كان يجتاز عليها لا سيما في الشتاء ومدود
الأودية وكان [illegible] إليها قوم ممن يعرف منها فأخذ الوالي تقلع حشوها من الرصاص [illegible]
الشديد فلم تزل على ذلك دهراً حتى أعاد ما انهدم منها وعقدها أبو عبد الله محمد بن أحمد القمي
المعروف بالشيخ وزير الحسن بن بويه فإنه جمع الصناع والمهندسين واستفرغ الجهد
والوسع في أمرها فكان الرجال يحطّون إليها بالزبلان بالبكر والحبال فإذا استقروا على
الأساس أذابوا الرصاص والحديد وصبّوه على الحجارة ولم يمكنه عقد الطاق إلا بعد سنين
فقال إنه لزمه على ذلك سوى أجرة الفعلة فإن أكثرهم كانوا سخرة من رساتيق إيذج وأصفهان
ثلثمائة ألف دينار وخمسون ألف دينار وفي مشاهدتها والنظر إليها عبرة لأولي الألباب
هذا كتاب أحمد بن فضلان بن العباس بن راشد بن حماد مولى محمد بن سليمان رسول المقتدر
يذكر فيه ما شاهده ببلاد الترك والخزر والروس والصقالبة والباشغرد وغيرهم من اختلاف مذاهبهم

Manuscrito com as crônicas de Ibn Fadhlan, século X

receram por sua forte mão esquerda. Mas Garm, o cão com mandíbulas sangrentas, matou Tyr.

E agora os cavaleiros de Muspelheim desceram no campo. Brilhantes e reluzentes eram todas as suas armas. Atrás deles o fogo foi se espalhando. Surtur lançou fogo sobre a terra e a árvore Yggdrasil pegou fogo e queimou todos os seus grandes ramos. A Árvore do Mundo foi desperdiçada no incêndio. Mas o fogo terrível que Surtur trouxe à terra destruiu ele e todo o seu exército.

O lobo Hati alcançou Sunna, o Sol; o lobo Managarm apoderou-se de Mani, a Lua. Eles os devoraram, as estrelas caíram, e a escuridão desceu sobre o mundo.

Os mares fluíram sobre a terra queimada e desperdiçada, e os céus ficaram escuros acima do mar, pois Sunna e Mani não estavam mais lá. Mas, finalmente, os mares recuaram e a terra apareceu novamente, verde e bonita. Um novo Sol e uma nova Lua apareceram nos céus, uma filha de Sunna e a outra, uma filha de Mani. Nenhum lobo sinistro os perseguiu.

Quatro dos deuses mais jovens estavam nos mais altos picos do mundo. Eles eram Vidar e Vali, os filhos de Odin, e Modi e Magni, os filhos de Thor. Modi e Magni encontraram Miölnir, o martelo de Thor, e com ele, mataram os monstros que ainda perduravam pelo mundo, o cão Garm e o lobo Managarm.

Vidar e Vali encontraram na grama as tábuas douradas nas quais estavam escritas as runas de sabedoria dos deuses anciões. As runas lhes contaram de um céu que estava acima de Asgard, de Gimli, que estava intocado pelo fogo de Surtur. Vili e Ve governaram nele. Baldur e Hödur vieram da habitação de Hela, e os deuses sentaram-se no pico juntos e fizeram o discurso uns com os outros, chamando a atenção para os segredos e os acontecimentos que tinham conhecido antes de Ragnarök, o Crepúsculo dos Deuses.

Nas profundezas de uma floresta, dois da espécie humana foram deixados. O fogo de Surtur não os tocou; eles dormiram e quando acordaram, o mundo era verde e bonito novamente. Os dois se alimentaram do orvalho da manhã. Uma mulher e um homem, Lif e Lifthrasir. Eles saíram para o mundo e a partir deles e de seus filhos vieram os homens e mulheres que se espalharam sobre a terra.

PARTE II

A saga da Islândia

A história de Gunnlaug, a Língua de Serpente e Skald, o corvo

Capítulo I

Havia um homem chamado Thorstein. Ele era filho de Egil, que era filho de Skallagrim, que foi filho de Kveldulf, o hersir da Noruega. Asgerd era a mãe de Thorstein, e ela era a filha de Biorn Hold. Thorstein morava no burgo, em Burgfirth, e era rico de posses, um grande chefe, um homem sábio, manso e de grande conhecimento. Ele não foi tão forte e glorioso como seu pai Egil tinha sido, mas era um homem poderoso, direito, e muito amado por todas as pessoas.

Thorstein tinha uma boa aparência, cabelos loiros e o melhor olhar entre os homens. Dizem os homens sábios de Lore que muitos dos parentes dos homens de Mere e que vieram de Egil eram as mais bondosas pessoas. No entanto, apesar disso, este tipo diferiu muito aqui, pois diziam que alguns deles têm sido considerados os mais desfavorecidos dos homens. Mas, nessa ascendência, havia também muitos sábios e muitos homens de grande competência, como Kiartan, o filho de Olaf Peacock, Slaying-Bardi, e Skuli, o filho de Thorstein. Alguns têm sido grandes bardos nessa linhagem, como Biorn, o campeão do Hit-dale, sacerdote Einar Skulison, Snorri Sturluson, e muitos outros.

Assim, Thorstein deveria casar-se com Jofrid, filha de Gunnar, o filho de Hlifar. Este Gunnar era o mais habilidoso com as armas, e o mais ágil entre todos os camponeses que estiveram na Islândia. O segundo foi Gunnar de Lithend, e Steinthor de Ere foi o terceiro. Jofrid tinha dezoito invernos de idade quando se casou com Thorstein, que era viúva. Thorodd, filho de Odd de Tongue, já a tinha tido como esposa antes. A filha deles era Hungerd, que foi criada em Thorstein, em Burg. Jofrid era uma mulher muito ativa, e ela e Thorstein tiveram muitos filhos, mas poucos deles entraram neste conto. Skuli era o mais velho de seus filhos; Kollsvein, o segundo, e Egil, o terceiro.

Capítulo II

Dizem que em um verão, um navio veio do continente para Gufaros. Bergfinn era seu comandante e mestre. O homem era de parentesco nórdico, rico em bens, sábio e com aparência um pouco velha.

Então, o bom homem Thorstein cavalgou para o navio, pois era seu hábito comandar o mercado, e foi o que ele fez. Os homens do Leste foram alojados, mas Thorstein levou o mestre consigo. Bergfinn expressou poucas palavras durante o inverno, mas Thorstein o tratou bem. O homem do Leste tinha grande alegria e sonhos.

Um dia, no início da primavera, Thorstein perguntou a Bergfinn se ele o acompanharia até Hawkfell, onde naquela época ocorria a Thingstead, pois foi dito a Thorstein que as paredes de seu barracão haviam caído. O homem do Leste disse que iria, então, naquele dia, eles cavalgaram, Thorstein e seus acompanhantes, até chegarem em Hawkfell, numa fazenda chamada Foxholes. Lá morava um homem de poucas riquezas chamado Atli, que era o inquilino de Thorstein. Thorstein mandou o homem vir trabalhar com eles, e lhe trouxe uma enxada e pá. Assim fizeram e quando eles chegaram ao fundo do barracão, eles começaram a trabalhar e demoliram as paredes.

O tempo estava quente naquele dia ensolarado, e Thorstein e o homem do Leste ficaram se sentindo pesados. Quando eles acabaram as paredes, sentaram-se dentro da casa e Thorstein dormiu, e se sentiu doente durante o sono. O homem do Leste sentou-se ao lado dele e deixou que sonhasse seu sonho de forma vívida. Quando Thorstein acordou, se sentiu muito cansado. Então o homem do Leste perguntou-lhe o que ele tinha sonhado, pois ele havia passado muito mal durante seu sono.

Thorstein disse: "Nada, sonhos não são nada."

Mas enquanto cavalgavam para casa à noite, o homem do Leste perguntou-lhe novamente o que ele tinha sonhado.

Thorstein disse:

"Se eu te disser o sonho, então você dirá para mim sobre seu real significado."

O homem do Leste então disse que arriscaria.

Thorstein prosseguiu:

— Em meu sonho, pensei que estava em casa, em Burg, parado do lado de fora da porta, e quando olhei para o teto da casa, no cume, e vi um cisne, bom e justo, e pensei que era meu. Eu o considerei a melhor coisa entre todas. Então vi uma grande águia descer das montanhas, voar para lá e se aconchegar ao lado do cisne, e rir amorosamente. Eu pensei que o cisne parecia bem contente, mas notei que a águia tinha olhos pretos e que nela havia garras de ferro. Por isso, ela me pareceu valente.

Depois disso eu pensei ter visto outra ave voando do bairro sul, e ela também veio aqui para Burg, e sentou-se na casa ao lado do cisne, e se aninhou com ele. Esta também era uma águia poderosa.

Mas logo percebi que a primeira águia se desesperou com a chegada da outra. Então eles lutaram ferozmente por muito tempo e vi que ambas sangraram, e tal foi o fim desta brincadeira, onde cada uma caiu de um lado e outro do telhado da casa, e despencaram mortas.

E então o cisne sentou-se sozinho, inclinando-se muito, e com um triste semblante. Em seguida, eu vi uma ave voar do Oeste. Era um falcão, e ele se sentou ao lado do cisne e fez um gesto carinhoso em sua direção. E então voaram juntos para o mesmo quarto, e com isso acordei.

Mas este é um sonho sem significados, — disse ele, — e com toda a probabilidade indica tempestades, que se encontrarão no ar a partir daqueles quarteirões de onde eu considerava que a ave voou.

O homem do Leste então falou:

— Eu considero isso agora. — disse ele.

Thorstein disse:

— Faça do sonho, então, o que lhe parecer melhor, e deixe-me ouvir.

Então disse o homem do Leste:

— Estes pássaros são semelhantes às buscas dos homens: sua esposa adoece agora, mas ela dará à luz uma mulher-criança bela e adorável, e você a amará. Mas os homens nobres cortejarão sua filha, vindos de bairros de onde as águias pareciam voar, e a amarão de forma irresistível, e lutarão por ela, e ambos perderão suas vidas por isso. Depois disso, um terceiro homem, da mesma região de onde veio o falcão, irá cortejá-la, e com esse homem ela se casará. Agora, desvendei teu sonho, e penso que as coisas acontecerão como eu disse.

Thorstein respondeu:

— No mal e de forma não amigável este sonho foi interpretado, não te considero apto para o trabalho de interpretar sonhos.

Então Eastman disse:

— Você verá como isso acontecerá.

Mas Thorstein se afastou do homem do Leste depois de então, que partiu naquele verão. E agora, ele está fora da história.

Capítulo III

Neste verão, Thorstein se preparou para cavalgar para a reunião de Thing, e falou com Jofrid, sua esposa, antes de sair de casa. Disse ele que agora ela estava grávida, mas seu filho seria lançado fora se fosse uma mulher, ou bem alimentado se fosse um homem.

Nesta época em que toda a terra era pagã, era costume dos homens que possuíam poucas riquezas e muitos filhos pequenos em suas mãos mandá-los embora, ainda que este era sempre considerado um ato maligno.

Quando Thorstein disse isto, Jofrid respondeu:

— Estas são palavras totalmente diferentes de ti, de um homem como você, e certamente para um homem rico como você não parecerá bom que isto deva ser feito.

Thorstein respondeu:

— Tu conheces minha mente, e que nenhum bem acontecerá se a minha vontade for frustrada.

Então ele cavalgou para a reunião em Thing; mas enquanto ele estava fora, Jofrid deu à luz uma maravilhosa menina branca. As mulheres queriam mostrá-la à mãe. Ela disse que havia pouca necessidade disso, mas mandou chamar seu pastor Thorvard e assim o instruiu:

— Pegue meu cavalo e sele-o, leve esta criança para o Oeste, para Herdholt, e entregue para Thorgerd, filha de Egil, e reze para que ela o alimente secretamente, para que Thorstein não saiba disso. Pois com amor eu vejo esta criança, e certamente não posso suportar que ela seja rejeitada. Aqui estão três moedas de prata, pegue-as em recompensa de teu trabalho. Mas lá no Oeste, Thorgerd conseguirá para você comida para atravessar o mar.

Então Thorvard fez o seu trabalho. Ele cavalgou com a criança até Herdholt e a entregou nas mãos de Thorgerd, e ela alimentou-a na casa de um inquilino dela que morava em Freedmans-stead em Hvamfirth. Ela conseguiu a passagem de Thorvard para o norte, em Steingrims-firth, em Shell-creek. Deu-lhe roupas para sua viagem pelo mar e ele foi para o exterior, e agora está fora da história.

Quando Thorstein voltou de Thing, Jofrid lhe disse que a criança havia sido lançada fora de acordo com sua palavra, mas que o pastor havia fugido e roubado seu cavalo. Thorstein disse que ela tinha se saído bem, e conseguiu outro pastor. Assim, seis invernos passaram e este assunto havia sido bem encerrado.

Naqueles dias, Thorstein cavalgava até Herdholt, pois havia sido convidado por seu cunhado, Olaf Peacock, o filho de Hoskuld, que era então considerado o chefe de valor mais alto entre todos os homens do oeste do país. Foi feito uma boa recepção a Thorstein, como era de se esperar, e um dia, na festa, diz-se que Thorgerd sentou-se no assento nobre conversando com seu irmão Thorstein, enquanto Olaf estava conversando com outros homens. Mas num banco bem em frente a eles sentaram-se três donzelas. Então disse Thorgerd:

— Como você, irmão, gosta da aparência destas três pequenas donzelas sentadas diante de nós?

— Muito bem, — ele respondeu, — mas uma é de longe a mais bela. Ela tem toda a bondade de Olaf, mas a brancura e o semblante de nós, os homens Mere.

Thorgerd respondeu:

— Certamente isto é verdade, irmão, quando diz que ela tem a bondade e o semblante de nós, povo de Mere, mas a bondade de Olaf Peacock ela não tem, pois ela não é filha dele.

— Como isso pode ser, — diz Thorstein, — sendo ela sua filha, apesar de tudo?

Ele respondeu:

— Para dizer a verdade, parente, esta bela donzela não é minha filha, mas tua.

E assim ela lhe contou tudo como havia acontecido, e rezou para que ele a perdoasse e a sua própria esposa aquela transgressão.

Thorstein disse:

— Não posso culpar vocês duas por terem feito isto. A maioria das coisas são como devem ser e você fez bem em cobrir a minha loucura; olho para esta donzela e considero uma grande sorte ter uma filha tão bela. Qual é o nome dela?

— Ela se chama Helga. — disse Thorgerd.

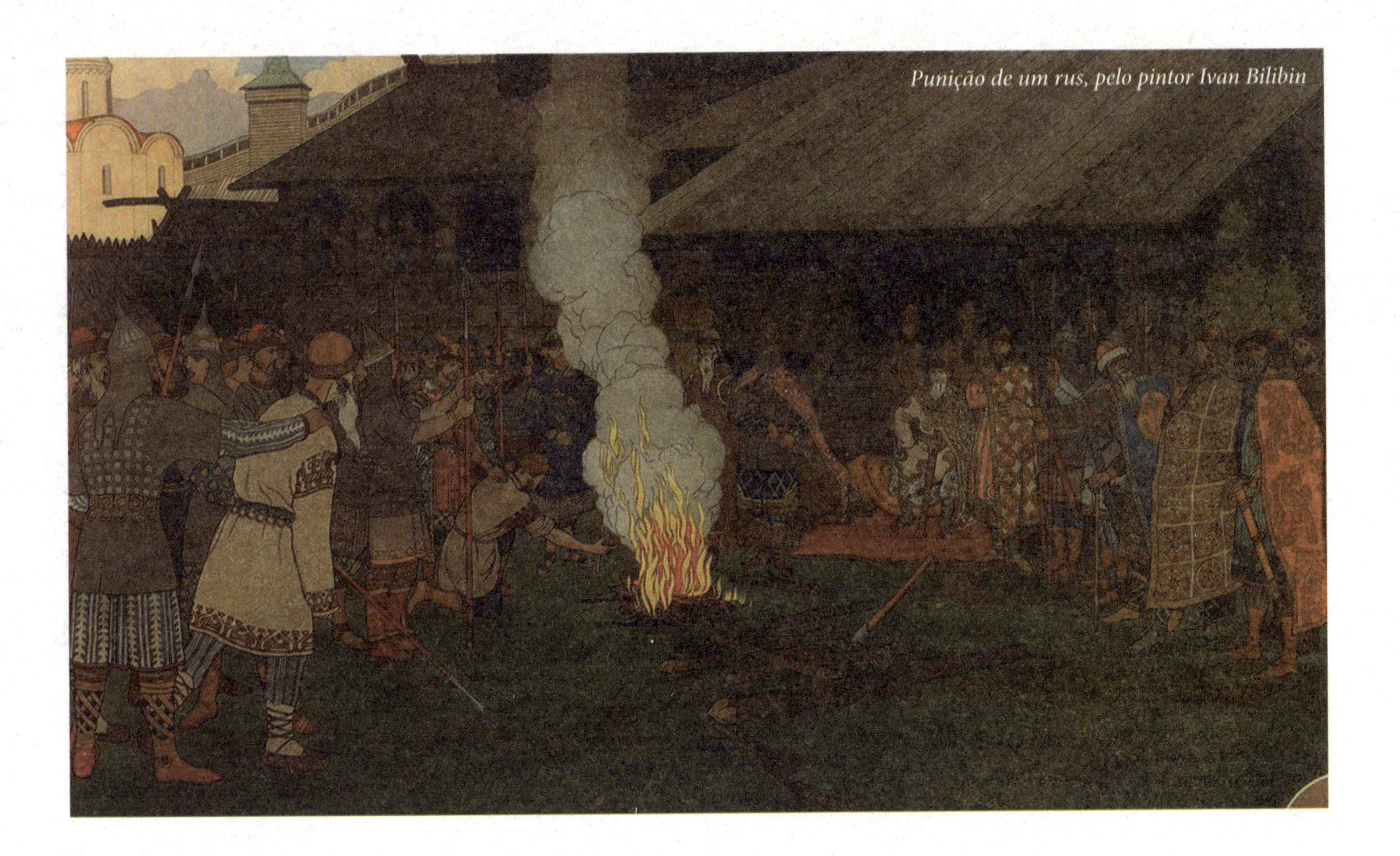

Punição de um rus, pelo pintor Ivan Bilibin

— Helga, a Justa. — respondeu Thorstein. Agora, porém, você deve prepará-la para voltar para casa comigo.

Assim Thorgerd fez. Helga e muitos bons presentes foram levados por Thorstein. Cavalgaram juntos até sua casa, e foi criada lá com muita honra e grande amor do pai e da mãe e de todos os seus parentes.

Capítulo IV

Morava em Gilsbank, no lado de White-water-side, Illugi, o Negro, filho de Hallkel, que era filho de Hrosskel. A mãe de Illugi era Thurid Dandle, filha de Gunnlaug Língua de Serpente.

Illugi foi o maior chefe em Burg-firth depois de Thorstein Egilson. Ele era um homem de grandes terras e de temperamento forte, e costumava fazer bem a seus amigos. Ele teve que se casar com Ingibiorg, filha de Asbiorn Hordson, de Ornolfsdale. A mãe de Ingibiorg era Thorgerd, a filha de Midfirth-Skeggi. Os filhos de Illugi e Ingibiorg eram muitos, mas poucos deles têm a ver com esta história. Hermund era um de seus filhos, e Gunnlaug outro, e ambos eram homens esperançosos e, neste momento, de crescimento maduro.

Conta-se que Gunnlaug teve um rápido crescimento no começo de sua juventude, e era grande e forte. Seu cabelo era vermelho claro, e vestia-se muito bem. Tinha olhos escuros, nariz um tanto feio, mas de semblante amoroso. Ele era magro de barriga, mas largo de ombros, e o melhor dos homens. Toda sua mente era muito magistral. Ansioso desde sua juventude, e no todo sábio, não era espalhafatoso, mas robusto. Ele era um grande bardo, mas um pouco amargo em suas rimas, e por isso era chamado de Gunnlaug, Língua de Serpente.

Hermund era o mais amado dos dois irmãos, e tinha o aspecto de um grande homem.

Quando Gunnlaug tinha quinze invernos, ele rezava para que seu pai viajasse para o exterior, e dizia que tinha vontade de viajar e ver os costumes de outras pessoas. Mestre Illugi demorou para abordar assunto, e disse que dificilmente seria considerado bom em terras distantes quando ele mesmo mal podia moldá-lo ao seu próprio gosto em casa.

Numa manhã, mas muito pouco depois, aconteceu que Illugi saiu cedo, e viu que seu armazém estava aberto, e que alguns sacos de mercadorias, seis deles, tinham sido levados para a estrada, e com isso também alguns sacos de equipamentos. Enquanto ele se perguntava sobre isso, surgiu um homem liderando quatro cavalos, e quem mais poderia ser, senão seu filho Gunnlaug. Então ele disse:

— Fui eu quem trouxe os sacos para fora.

Illugi perguntou a ele por que ele havia feito isso. Ele disse que eles deveriam levar seus próprios alimentos na viagem.

Illugi disse:

— De modo algum frustrarás minha vontade, nem chegarás a lugar algum mais cedo do que eu gostaria! — E novamente ele guardou os sacos que estavam com ele.

Então Gunnlaug cavalgou dali e veio à noite até Burg, e o bom homem Thorstein lhe disse para ficar lá. Gunnlaug animou-se com aquela oferta. Ele contou a Thorstein de como as coisas tinham corrido entre ele e seu pai, e Thorstein se ofereceu para deixá-lo esperar lá o tempo que quisesse. Por algumas estações Gunnlaug morou lá, e aprendeu a arte da lei de Thorstein, e todos os homens o consideraram de bem.

Agora Gunnlaug e Helga estariam sempre juntos nos jogos de xadrez, e muito em breve gostariam um do outro, como ficou muito bem provado no final das contas: eles tinham uma idade muito próxima.

Helga era tão justa que os homens de tradição dizem que ela era a mulher mais justa da Islândia. Seu cabelo era tão abundante e longo que podia cobri-la em toda parte, e era tão loiro quanto uma faixa de ouro. Não havia alguém melhor para escolher como Helga, a Justa, em todo Burgfirth, e aos arredores.

Mas um dia, enquanto os homens estavam sentados no salão de Burg, Gunnlaug falou a Thorstein:

— Há uma coisa na lei que você não me ensinou, que é como cortejar uma esposa.

Thorstein disse:

— Isso é um assunto simples. — E com isso, ensinou-o como fazer.

Então disse Gunnlaug:

— Agora vou tentar para ver se entendi tudo: eu te pegarei pela mão e farei como se estivesse cortejando sua filha Helga.

— Não vejo necessidade disso. — disse Thorstein.

Gunnlaug, porém, pegou a mão e então, e agarrando-a disse:

— Não, mas me conceda isto, ao menos.

— Faça como quiser, então. — disse Thorstein. — Mas seja de conhecimento de todos os que estão aqui, que isto será como se não tivesse sido dito, nem qualquer engano se seguirá aqui.

Então Gunnlaug nomeou testemunhas e desposou Helga para ele, e perguntou-lhe depois se estaria bom assim. Thorstein disse que estava bem, e aqueles que estavam presentes ficaram extremamente satisfeitos com tudo isso.

Capítulo V

Havia um homem chamado Onund, que morava no sul de Mossfell. Ele era o mais rico dos homens, e tinha um sacerdócio no sul do país sobre os donos de terras. Ele era casado, e sua esposa chamava-se Geirny. Ela era filha de Gnup, o filho de Mold-Gnup, que se estabeleceu em Grindwick, no sul do país. Seus filhos eram Raven, Thorarin e Eindridi. Todos eles eram homens esperançosos, mas Raven foi, com toda a sabedoria, o primeiro deles. Ele era um homem grande e forte, o mais bonito deles e um bom poeta, e quando estava completamente crescido, ele se movimentava entre terras diversas, e era bem considerado onde quer que estivesse.

Thorod, o Prudente, filho de Eyvind, foi morar em Hjalli, ao sul em Olfus, com Skapti, seu filho, que era então o porta-voz da Islândia. A mãe de Skapti era Ranveig, filha de Gnup, o filho de Mold-Gnup, e Skapti e os filhos de Onund eram filhos de suas irmãs. Entre esses parentes havia muita amizade, bem como um parentesco interligado.

Nessa época, Thorfin, filho de Selthorir, morava na Red-Mel, e tinha sete filhos, que eram todos os mais esperançosos dos homens. Destes, Thorfin, Eyjolf e Thorir eram os maiores.

Mas estes homens, que agora foram nomeados, viveram todos ao mesmo tempo.

Junto a isso, vieram notícias, as melhores que já aconteceram aqui na Islândia, de que toda a terra se tornou cristã e que todas as pessoas abandonaram a velha fé.

Capítulo VI

Gunnlaug Língua-de-Serpente estava, como já foi dito, em Burg com Thorstein, enquanto seu pai Illugi, em Gilsbank. Três invernos juntos, e agora já haviam dezoito invernos, e o pai e filho eram agora muito mais inteligentes.

Havia um homem chamado Thorkel, o Negro. Ele era um homem livre que tinha proximidade com Illugi e havia sido criado na sua casa. A ele coube uma herança ao norte em As, em Water-dale, e ele pediu a Gunnlaug ir com ele para lá. Assim ele fez, e então cavalgaram, os dois juntos, para As. Lá receberam o honorário, que lhes foi entregue por aqueles que o mantinham, principalmente por causa do apoio de Gunnlaug.

Mas enquanto cavalgavam vindos do norte, se hospedaram em Grimstongue, na casa de um homem rico que lá habitava. Mas de manhã um cavalariço levou o cavalo de Gunnlaug e, depois de o ter exercitado, trouxe-o de volta. Gunnlaug, que não tinha sido avisado pelo cavalariço que seu cavalo seria treinado, feriu-o. Ainda assim, o cavalariço explicou a situação e pediu uma compensação. Gunnlaug ofereceu-se para pagar uma moeda, mas o dono da casa achou aquilo muito pouco.

Então Gunnlaug cantou:

Eu ordeno que o poderoso mediano
Tenha uma marca da chama de ondas;
Doador de brilho dos mares cinzentos,
Um dos seguintes presentes poderás escolher:
Que o elfo do sol das águas
De sua bolsa lhe dê,
Ou que o dono da cama da serpente
Dê-lhe tristezas depois.

Assim, a paz foi feita como Gunnlaug ordenou, e nesta sabedoria os dois cavalgaram para sul.

Pouco tempo depois, Gunnlaug pediu bens, pela segunda vez, ao seu pai para ir ao estrangeiro.

Illugi diz: "Agora terás a tua vontade, pois transformaste-te em alguém melhor do que eras." Assim, Illugi cavalgou apressadamente de casa, e comprou para Gunnlaug um navio que estava em Gufaros, de Audun Festargram. Este Audun foi aquele que não atirou nos filhos estrangeiros de Oswif, o Sábio, depois da matança de Kiartan Olafson, como se conta na história dos Laxdalemen, o que foi contado depois disso. E quando o Illugi chegou em casa, Gunnlaug ficou muito agradecido.

Thorkel, o Negro, comprometeu-se a navegar com Gunnlaug, e as suas mercadorias foram trazidas para o navio, mas Gunnlaug estava em Burg enquanto eles a preparavam, e encontrou mais ânimo na conversa com Helga do que na labuta com os capangas.

Porém, um dia, Thorstein perguntou a Gunnlaug se este cavalgaria com ele até Longwater-dale. Gunnlaug disse que o faria. Assim, cavalgaram juntos até chegarem às montanhas de Thorstein, chamadas Thorgilsstead. Thorstein tinha cavalos potentes, quatro deles de cor vermelha. Um deles era muito bom, mas pouco experimentado: foi este cavalo que Thorstein ofereceu para dar a Gunnlaug. Ele disse que não precisava de cavalos, uma vez que estava se retirando do país; e assim eles cavalgaram outros cavalos potentes. Havia um cavalo cinzento com quatro éguas, e ele era o melhor dos cavalos de Burgfirth. Este também Thorstein ofereceu para dar a Gunnlaug, mas disse:

— Não desejo estes nem os outros, mas por que não me oferece o que desejo levar?

— O que é? — disse Thorstein.

— Helga, a Justa, a sua filha. — disse Gunnlaug.

— Esse pedido não deve ser resolvido de forma tão apressada. — disse Thorstein. Enquanto cavalgavam para casa ao longo de Longwater, falaram sobre outros assuntos.

Então disse Gunnlaug:

— Preciso de saber o que vai me responder sobre o meu pedido.

Thorstein responde:

— Não dou ouvidos à sua fala vã.

Gunnlaug diz:

— Isso é o que penso, não são palavras vãs.

Thorstein diz:

— Deve primeiro conhecer a sua própria vontade. Não está obrigado a sair para o estrangeiro? Ainda assim faz como se quisesses casar. Nem sequer você é páreo para Helga enquanto está tão incerto, e, portanto, isso não pode ser resolvido.

Gunnlaug diz:

— Onde procura um par para a sua filha, se não a quer dar ao filho de Illugi, o Negro, ou quem são eles em Burg-firth que são mais notáveis do que ele?

Thorstein respondeu:

— Não vou brincar de acasalamento entre homens, mas se fosse um homem como ele, não seria rejeitado.

Gunnlaug disse:

— A quem vai dar a sua filha se não a mim?

Disse Thorstein:

— Aqui há muitos homens bons para escolher. Thorfin de Red-Mel tem sete filhos, e todos eles homens de boas maneiras.

Gunnlaug respondeu:

— Nem Onund, nem Thorfin são homens tão bons como o meu pai. Não, até você está aquém dele... o que você tem a opor à sua luta com Thorgrim, o sacerdote, filho de Kiallak, e seus filhos, na Thorsness Thing, onde ele levou tudo o que estava em debate?

Thorstein respondeu:

— Eu afastei Steinar, o filho de Onund Sioni, que foi considerado uma ação correta.

Gunnlaug diz:

— Nisso foi ajudado por seu pai Egil, e, para finalizar, cabe a poucos fiadores rejeitar minha aliança.

Disse Thorstein:

— Leve a sua oferta aos companheiros lá em cima nas montanhas, pois aqui em baixo, nos Meres, ela não te servirá de nada.

À noite ele voltaram para casa; mas na manhã seguinte Gunnlaug cavalgou até Gilsbank, e pediu a seu pai para ir com ele até Burg cortejar seu pedido.

Illugi respondeu:

— Você é um homem incerto, que está destinado a ir ao estrangeiro, e agora se ocupa em cortejar esposas. E eu tanto sei que não é meramente da mente de Thorstein.

Gunnlaug respondeu:

— Eu devo ir ao estrangeiro, mas ficarei satisfeito se você promover isto.

Assim, Illugi cavalgou com onze homens até Burg, e Thorstein recebeu-o bem. De manhã cedo, Illugi disse a Thorstein que gostaria de falar com ele.

— Vamos, então, ao topo do Burg, e conversemos juntos lá. — disse Thorstein. E assim fizeram, e Gunnlaug foi com eles.

Então disse Illugi:

— Meu parente Gunnlaug disse-me que começou uma conversa contigo em seu próprio nome, pedindo para que ele cortejasse sua filha Helga. Agradar-me-ia saber o que está para vir deste assunto. Os parentes dele são conhecidos por ti, e os nossos bens também. De minha mão não serão poupados nem terra nem domínio sobre os homens, se tais coisas puderem porventura vir a acontecer.

Thorstein disse:

— Nisto Gunnlaug não me agrada, pois eu o considero um homem inquieto. Se ele tivesse uma mente como a sua, não o rejeitaria.

Illugi disse:

— Romperá com nossa amizade se substituir ao meu filho.

Thorstein responde:

— Então, pelas suas palavras e pela nossa amizade, Helga será prometida, mas não desposada, a Gunnlaug, e esperará por ele três invernos. Gunnlaug irá para o estrangeiro e se moldará aos caminhos dos bons homens, e eu ficarei livre de todos estes assuntos se ele não voltar, ou se os seus caminhos não forem do meu agrado.

Assim se separaram. Illugi cavalgou para casa, e Gunnlaug cavalgou para o seu navio. Quando tiveram o vento certo, navegaram para o mar, e chegaram à parte norte da Noruega, e navegaram para terra ao longo de Thrandheim até Nidaros. Lá eles cavalgaram no porto e desembarcaram suas mercadorias.

Capítulo VII

Naqueles dias, conde Eric, filho de Hakon, e o seu irmão Svein, governavam a Noruega. Conde Eric residia em Hladir, que lhe fora deixado pelo seu pai, um poderoso senhor. Skuli, o filho de Thorstein, era conde, a essa altura, e era um estimado membro da corte.

Dizem que Gunnlaug e Audun Festargram, e sete deles juntos, foram ao Hladir até ao conde. Gunnlaug, vestido com uma manta cinza e branca, tinha um furúnculo no peito do pé, e deste escorria sangue e pus enquanto andava. Assim vestido, foi até o conde com Audun e os outros e cumprimentou-o. O conde conhecia Audun, e pediu-lhe notícias da Islândia. Audun disse-lhe que estava bem governada. Então o conde perguntou a Gunnlaug quem ele era, e Gunnlaug disse-lhe o seu nome e o de seus pais. E o conde respondeu:

— Filho de Skuli Thorstein, que tipo de homem é este islandês?

— Senhor, — diz ele — dê-lhe boas-vindas, pois ele é o filho do melhor homem da Islândia, Illugi o Negro, de Gilsbank, e é também o meu irmão adotivo.

O conde perguntou:

— O que te machuca o pé, Islandês?

— Um furúnculo, senhor. — Disse ele.

— E no entanto, não foi detido por isto.

Gunnlaug respondeu:

— Por que parar enquanto tenho ambas as pernas?

Então um dos homens do conde, chamado Thorir, disse:

— Este Islandês foi imensamente rude! Não seria impróprio testá-lo um pouco.

Gunnlaug olhou para ele e cantou:

Um carrasco lá está
O mal que eu desejo,
Um homem mau e negro,
A crença deixou-o faltar.

O conde falou: Que assim seja, diz ele; a tais coisas os homens não devem prestar atenção. Mas agora, Islandês, que idade tem?

— Tenho dezoito Invernos agora – disse Gunnlaug.

— Então diz Earl Eric, minha maldição é que você não viva mais dezoito Invernos.

Ao que Gunnlaug respondeu:

— Não me amaldiçoe, mas antes reze por você mesmo.

O conde, irado, pergunta:

— O que disse, islandês?

Gunnlaug, altivo, repete:

— O que eu achei que deveria: que não devia me amaldiçoar, mas rezar por você mesmo.

— Que preces, então? — quis saber o conde.

— Para que não encontre a morte da mesma maneira que Conde Hakon, seu pai.

O conde ficou vermelho como sangue, e ordenou-lhes que prendessem aquele patife às pressas, mas Skuli dirigiu-se ao conde, e o aconselhou:

— Faça como eu digo, senhor, e dá paz a este homem, para que parta rapidamente.

O conde respondeu:

— Na maior rapidez o deixarei partir, então, se assim ele tiver paz, e nunca mais o deixarei vir ao meu reino

Então, Skuli foi com Gunnlaug até o embarcadouro, onde havia um navio com destino a Inglaterra pronto a partir. Então, Skuli conseguiu um cais para Gunnlaug e, também, para Thorkel, seu parente. Gunnlaug deu o comando do seu navio para Audun, bem como os pertences que não levou com ele.

Agora, Gunnlaug navegava com seus companheiros para o porto principal inglês. Foram para Londres, onde, próximo à ponte principal, transportaram o seu navio para terra.

Nessa altura, o Rei Ethelred, filho de Edgar, governava a Inglaterra, e ele era um bom senhor, bem governando seu reino. Naquele tempo, falava-se na Inglaterra a mesma língua que na Noruega e na Dinamarca, e as línguas mudaram quando Guilherme, o Bastardo, conquistou a Inglaterra, pois a partir daí ele introduziu o francês na Inglaterra, pois ele era da família nórdica dos senhores da Normandia e falava francês.

Gunnlaug foi até a presença do rei, cumprimentou-o bem e dignamente. O rei perguntou-lhe de que terra ele vinha, e Gunnlaug contou-lhe a respeito de tudo, fornecendo, além de informação, detalhes

— Mas — disse ele —vim ao seu encontro, senhor, porque fiz uma canção sobre sua majestade e pensei que lhe agradasse ouvir essa canção.

O rei concordou, e Gunnlaug cantou a canção bem e com orgulho. Assim dizia a ode:

Como Deus, todo o povo teme
O poderoso senhor rei da Inglaterra,
Amigo de todos os reis e de toda a gente,
A Ethelred, o arco à frente da batalha.

O rei agradeceu-lhe pela canção, e deu-lhe como presente um manto escarlate forrado com a mais cara das peles, com a bainha dourada, e fez dele um de seus homens. Gunnlaug permaneceu com ele durante todo o Inverno, conquistando o reconhecimento e a estima do rei.

Um dia, de manhã cedo, Gunnlaug encontrou três homens numa certa rua. Thororm era o nome do líder deles. Ele era grande, forte e cheio de malícia. Era preciso saber lidar com ele. Thororm disse:

— Homem do Norte, empresta-me algum dinheiro.

Gunnlaug respondeu:

— Somos aconselhados a não emprestar o nosso dinheiro a homens desconhecidos.

Thororm insistiu:

— Pagarei no dia acertado.

— Então irei arriscar emprestar dinheiro a você — concordou Gunnlaug e emprestou determinada quantia com um juro afixado.

Algum tempo depois Gunnlaug encontrou-se com o rei e falou-lhe do empréstimo. O rei respondeu:

— Agora você se deu mal, pois Thororm é o maior ladrão e um grande saqueador. Não negocie com ele de maneira nenhuma, e eu restituirei o dinheiro a você, o mesmo valor que lhe foi tirado.

Mas Gunnlaug recusou:

— Nós, os seus homens, não podemos nos comportar dessa maneira lamentável; não podemos deixar que pessoas com capacidades inferiores, que sujeitos como esse, tratem de nossa sorte. Não, isso nunca poderá ser.

Pouco depois, Gunnlaug foi ter com Thororm e reclamou seu dinheiro e os juros. Thororm, porém, afirmou que não iria pagar.

Então, Gunnlaug cantou:

O mal aconselhado és tu,
O ouro de nós tomado;
O veneno das bordas,
Pico com malícia.
Como? eles me chamaram de
Língua de serpente;
Agora é tempo de mostrá-la!

Então, Gunnlaug completou:

— Agora, proponho um bom acordo, segundo a lei: que me pague o meu dinheiro com os juros que combinamos, ou que venha à ilha comigo no espaço de três noites e resolveremos nossa pendência num duelo.

Thororm riu-se do viking e respondeu:

— Antes de você ninguém chegou a isso. Ninguém nunca me chamaram para ir à ilha resolver nossas questões num duelo, por conta da ruína que muitos homens tiveram ao caírem nas minhas mãos. Bem, estou pronto para ir.

Depois disso, ambos se foram.

Gunnlaug contou ao rei o que tinha acontecido, e o rei o aconselhou:

— Agora, de fato, as coisas tomaram um rumo sem esperança, pois os olhos deste homem podem enfeitiçar qualquer arma. Mas se você seguir o meu conselho, pegue esta espada que lhe estou dando. Você deve combater com ela, mas antes de começar o duelo, mostre outra espada a ele.

Gunnlaug agradeceu ao rei pelo conselho e pela espada.

Quando estavam prontos para irem à ilha duelar, Thororm perguntou a seu adversário que tipo de espada usaria. Gunnlaug desembainhou e mostrou a espada a ele, mas guardou a espada do rei, escondendo-a sob a capa. Thororm olhou para a espada e disse:

— Não temo essa espada.

Quando o duelo começou, Thororm desferiu um golpe em Gunnlaug com sua espada, partindo quase todo o seu escudo. Gunnlaug golpeou, por sua vez, com a espada que ganhara do rei, destruindo o escudo de Thororm. Este, pensando que Gunnlaug usava a mesma arma que lhe mostrara, voltou a atacar, mas Gunnlaug lhe desferiu um golpe mortal.

O rei agradeceu-lhe pelo seu trabalho, e ele conquistou grande fama pelo feito, tanto na Inglaterra como em qualquer outra parte do mundo viking.

Na Primavera, quando os navios voltaram a viajar de terra em terra, Gunnlaug pediu ao Rei Ethelred permissão para partir. O rei perguntou-lhe então o que gostaria. Gunnlaug respondeu:

— Eu cumpriria o que dei a minha palavra para fazer. — E cantou estes versos:

Os meus caminhos devem ser percorridos
Três fortalezas reais para ver ainda,
E os Condes Twain, como eu prometi.
Pelo senhor da guerra, que seja recompensado

Camponeses normandos, de origem nórdica, retratados na Tapeçaria Bayeux (século XI)

Pelo trabalho feito, um presente bem dado.

— Que assim seja, então! — decretou o rei.

Com ele, deu-lhe um anel de ouro muito pesado, mas pediu em troca a palavra de que ele voltaria no próximo outono, pois não o deixaria ir embora de todo, por causa de sua grande destreza.

Capítulo VIII

Assim, Gunnlaug navegou com seus companheiros da Inglaterra até o norte, até Dublin. Naqueles dias, o rei Sigtrygg Barba de Seda, filho do rei Olaf Kvaran e da rainha Kormlada, governava a Irlanda. Gunnlaug foi ter com o rei e cumprimentou-o com toda a dignidade. O rei recebeu-o como se fosse um velho amigo. Então Gunnlaug disse:

— Fiz uma canção sobre sua majestade, e gostaria de ouvir o que acha dela.

O rei respondeu:

— Nenhum homem antes apresentou canções compostas em minha homenagem e certamente ouvirei a sua.

Então Gunnlaug declamou uma bela canção, na qual exaltava as virtudes e feitos do rei.

O rei agradeceu-lhe pela canção, chamou o seu tesoureiro e lhe perguntou:

— Como será recompensada a canção?

— O que o senhor tem para dar? — indagou ele.

— O que acha se eu lhe der dois navios por ela? — sugeriu o rei.

Então, o tesoureiro replicou:

— Isto é demais, senhor. Outros reis recompensam as boas canções com presentes como armas, espadas ou anéis de ouro.

Então, o rei deu a Gunnlaug o seu próprio traje escarlate, um manto bordado a ouro, outro forrado com as mais caras peles e um anel de ouro que pesava suficientemente bem. Gunnlaug agradeceu-lhe pelos presentes.

Durante um tempo, serviu ao rei e, depois, seguiu para as ilhas Orkneys.

Naquela época, o conde Sigurd era o senhor de Orkney. Ele era filho de Hlodver e amigo dos islandeses. Gunnlaug saudou o conde com deferência e declarou que tinha uma canção para recitar. O conde respondeu que a ouviria, até mesmo porque ele tinha parentes próximos na Islândia.

Então Gunnlaug cantou a canção. Era uma canção curta, mas muito bem composta. O conde deu-lhe um machado de batalha, todo incrustado com prata e ordenou-lhe que permanecesse com ele.

Gunnlaug agradeceu-lhe tanto pelo seu presente e pelo convite, porém, explicou que se dirigia para leste, para a Suécia. Depois de uma breve estadia, subiu a bordo de um navio com uma tripulação que zarpava para a Noruega.

No outono, continuaram a viajar no rumo leste. Thorkel, parente de Gunnlaug, acompanhava-o sempre. Em terra, conseguiram uma tripulação que rumava para o oeste, até Gothland. De lá, continuaram viagem até um país chamado Skarir. Ali, governava um conde chamado Sigurd – homem alquebrado pelos anos. Gunnlaug foi até ele e, como de costume, ofereceu uma canção que disse ter composto para o senhor daquelas terras. O conde a ouviu de boa vontade. Assim, Gunnlaug recitou uma breve canção, porém, composta com maestria e arte.

O conde agradeceu-lhe, recompensou generosamente a canção e convidou Gunnlaug e seus homens para passar o inverno em seu reino.

O nobre Sigurd fez grande banquete de Yule naquele inverno. Na véspera do Yule, chegaram homens enviados pelo nobre Eric, da Noruega. Eram doze deles e traziam presentes para Sigurd mandados por Eric. O conde os recebeu de forma digna e os convidou a se sentarem ao lado de Gunnlaug.

O banquete de Yule transcorria com alegria, regada a bebidas em uma mesa repleta de assados de todos os tipos. Então, os homens de Sigurd afirmaram que nenhum governante era maior ou tinha mais fama do que o conde a quem serviam. Contudo, os noruegueses afirmavam que o nobre Eric era de longe o mais importante. Em meio ao calor da disputa, pediram que Gunnlaug tomasse um lado na questão.

Então ele cantou estes versos:

Digo-lhes, guerreiros,
Como elegante cavalo-marinho,
Muitas vezes este conde enfrentou

Ondas furiosas;
Mas Eric, o freixo da vitória,
Muitas vezes viu nos mares do leste
Mais altas ondas azuis
Antes de ver os arcos rugindo.

Ambos os lados ficaram satisfeitos com a declaração, mas os noruegueses sentiram que eram os melhores.

Depois do festival de Yule, os mensageiros partiram levando presentes e votos de aliança que o conde Sigurd enviou ao nobre Eric. Ao chegarem, contaram ao conde Eric sobre a canção de Gunnlaug, louvando seus feitos como navegador. O conde ficou lisonjeado e satisfeito. Decretou, então, que Gunnlaug deveria ser recebido na boa paz em toda a sua terra. Posteriormente, o decreto do conde Eric chegou aos ouvidos de Gunnlaug.

Na primavera, o conde Sigurd deu a Gunnlaug um guia que o levasse para Leste para a Tenthland, na Suécia, conforme o bardo tinha pedido.

Capítulo IX

Naqueles dias, o rei Olaf, o Sueco, filho do rei Eric, o Vitorioso, e Sigrid, a grã-conselheira, filha de Skogul Tosti, governavam a Suécia. Ele era um rei poderoso e de renome, com fama em todas as terras.

Gunnlaug chegou a Upsala na primavera, na época dos festivais, e como sempre fazia quando chegava a um novo reino, foi procurar o rei para cumprimentá-lo. O rei recebeu bem as suas saudações e perguntou quem era ele. Gunnlaug respondeu que era da Islândia.

Então o rei chamou um de seus homens e perguntou a ele:

— Raven, que tipo de homem é ele, na Islândia?

Um homem grande e robusto, levantou-se do seu banco e se colocou perante o rei, dizendo:

— Senhor, ele é de boa família e é o mais robusto dos homens.

— Fique em paz, então, e sente-se ao lado de Raven — disse o rei, dirigindo-se a Gunnlaug.

Gunnlaug respondeu oferecendo ao rei uma canção:

— Tenho uma canção para apresentar para o senhor, rei, e me alegraria que a ouvisse.

O rei, porém, recusou.

— Vá primeiro e sente-se, pois agora não há tempo para sentar ouvindo canções — respondeu o soberano.

Assim fez Gunnlaug, conforme o rei lhe ordenou.

Gunnlaug e Raven começaram uma conversa juntos, cada um contando sobre suas viagens. Raven disse que tinha ido da Islândia para a Noruega no verão anterior e que tinha vindo para leste, para a Suécia, no início do inverno.

Quando os festivais acabaram, Gunnlaug e Raven estavam ambos perante o rei, quando Gunnlaug pediu:

— Agora, senhor, gostaria que ouvisses a canção.

— Agora posso ouvir — concordou o rei.

— A minha canção também pode ser ouvida agora? — aproveitou Raven.

— Pode, sim — concedeu o rei.

Gunnlaug, então, propôs:

— Eu apresentarei a minha primeiro, se assim for seu desejo.

— Não, — disse Raven — cheguei aqui antes e me apresentei ao rei primeiro.

Gunnlaug, porém, discordou. Afirmou que não deveria prevalecer a ordem de chegada, pois isso não é uma referência válida.

Raven respondeu:

— Sejamos suficientemente corteses para não tornarmos esta questão matéria de discórdia. Que o rei decida.

Ao que o rei disse:

— Deixemos Gunnlaug apresentar a sua canção primeiro, pois ele não estará em paz enquanto não tiver a sua vontade.

Gunnlaug apresentou a canção que tinha feito ao Rei Olaf, e quando acabou, o rei falou:

— Raven, como é composta a sua canção?

— É uma canção breve, cheia de grandes palavras e de alguma beleza; uma canção um pouco áspera, como é o próprio estado de espírito de Gunnlaug — respondeu Raven.

— Bem, Raven, agora ouçamos a sua canção — disse o rei.

Raven recitou sua canção, e quando acabou, o rei perguntou a Gunnlaug:

— O que achou da canção, Gunnlaug?

— É uma bela canção, como o talento de Raven — e voltando-se para o rival, indagou: — Mas porque você compôs uma canção tão curta sobre o rei, Raven? Considera-o por acaso indigno de uma longa?

Ofendido, Raven respondeu:

— Não falemos mais sobre isto. Retomaremos essa questão depois.

E se separaram.

Pouco depois, Raven se tornou um dos homens do rei Olaf, e, quando sentiu o chamado do mar gritar forte em seu ser, pediu ao rei permissão para partir. O rei lhe concedeu permissão, e quando Raven estava pronto para partir, foi até Gunnlaug, e disse:

— Agora terminará a nossa amizade, pois você me envergonhou aqui, perante grandes homens. Saiba que, no futuro, causarei a você vergonha igual àquela que você me fez passar aqui.

Gunnlaug respondeu:

— As suas ameaças não me entristecem em nada. Não é provável que cheguemos a uma situação na qual eu seja considerado menos digno do que você.

O Rei Olaf deu a Raven bons presentes na despedida, e depois ele foi-se embora.

Capítulo X

Naquela primavera, Raven veio do leste para Thrandheim, equipou o seu navio e navegou no verão para a Islândia. Levou seu navio para Leiruvag, abaixo do Heath, e os seus amigos e parentes se alegraram ao vê-lo. Aquele inverno, ele passou em casa, com o seu pai, mas no verão, esperava encontrar seu parente, Skapti, o homem da lei, no Althing.

Quando chegou a ocasião, Raven se aproximou de Skapti e pediu:

— Preciso de sua ajuda para pedir a Thorstein Egilson a mão de Helga, sua filha.

Skapti estranhou.

Nökken, o espírito das águas, do pintor norueguês Theodor Kittelsen (1904)

— Mas ela não tinha prometido se casar com Gunnlaug Língua de Serpente? — perguntou.

Raven respondeu:

— O tempo de validade da promessa já não teria passado? Gunnlaug é muito devasso para considerarmos suas promessas.

— Façamos, então, como você pede — concordou Skapti.

Então, eles foram acompanhados de muitos homens para a casa de Thorstein Egilson, que os recebeu muito bem.

Skapti falou:

— Raven, o meu parente, está disposto a cortejar a sua filha Helga. Você conhece bem o sangue de quem ele descende, a sua riqueza, as suas boas maneiras, os seus muitos parentes e amigos poderosos.

Mas Thorstein respondeu:

— Ela já está prometida a Gunnlaug, e com ele manterei todas as promessas feitas.

Skapti disse:

— Já não se passaram os três invernos que o trato de vocês deveria durar?

— Sim — admitiu Thorstein —, mas o verão ainda não acabou, e ele ainda pode chegar neste verão.

Então Skapti indagou:

— Mas se ele não vier neste verão, podemos ter esperança de que o pedido possa ser revertido a nosso favor?

Thorstein respondeu:

— Votem aqui no próximo verão e, então, podemos ver o que pode ser feito com sabedoria, mas não falemos mais nisto até então.

Depois do Althing, os homens regressaram para as suas casas. Mas a conversa sobre o cortejo de Helga por parte de Raven não foi esquecida.

Naquele verão, Gunnlaug não retornou.

No verão seguinte, no Althing, Skapti e a sua gente insistiram sobre o cortejo de Helga, afirmando que Thorstein estava livre de todos os compromissos com Gunnlaug.

Thorstein respondeu:

— Tenho poucas e fico feliz que elas não sejam motivo de discórdia para nenhum homem. E isto deve permanecer. Assim, antes de responder, vou primeiro consultar Illugi, o Negro, pai de Gunnlaug.

E assim fez.

Ao encontrar Illugi, Thorstein perguntou:

— Você pensa que estou livre de todo o acordo com seu filho Gunnlaug?

E respondeu Illugi:

— Certamente, se assim o quiser. Pouco posso dizer, pois não sei claramente o que você tratou com Gunnlaug.

Com esse parecer, Thorstein respondeu a Skapti, e foi feito um acordo para que o casamento fosse realizado no inverno, caso Gunnlaug não retornasse naquele verão. Mas se Thorstein desfizesse o acordo com o Raven, Gunnlaug poderia ter a sua noiva.

Depois da reunião do Althing, os homens voltaram para casa, e a chegada de Gunnlaug demorava. Mas os acordos desagradaram a Helga.

Capítulo XI

Gunnlaug foi para a Suécia no mesmo verão em que Raven foi para a Islândia e bons presentes ele recebeu de rei Olaf na despedida.

O rei Ethelred acolheu Gunnlaug dignamente e o recebeu com grandes favores.

Naqueles dias, Knut O Grande, filho de Svein, governava a Dinamarca. Ele tinha recém-recebido a herança do seu pai, jurando sempre fazer guerra à Inglaterra, pois o seu pai tinha lá conquistado um grande reino antes de morrer.

Nessa altura, havia ali um grande exército de dinamarqueses, cujo chefe era Heming, filho do conde Strut-Harald e irmão do conde Sigvaldi. Ele mantinha aquela terra que Svein tinha conquistado para o rei Knut.

Então, quando chegou a primavera, Gunnlaug pediu ao rei permissão para partir, mas o rei disse:

— Não me parece que você, um dos meus homem, deva partir agora quando todos pressagiam uma guerra violenta nestas terra.

Ao que Gunnlaug respondeu:

— Sua vontade e minha fidelidade prevalecem, mas dê-me permissão de partir no próximo verão, se os dinamarqueses não vierem.

E o rei decretou, encerrando a questão:

— Na ocasião, veremos.

O verão passou e no inverno seguinte não chegou nenhum navio dinamarquês. Assim, depois da metade do verão, Gunnlaug obteve a sua permissão para partir e foi dali para a Noruega, onde se encontrou com conde Eric em Thrandheim. O conde saudou-o bem e ordenou--lhe que ficasse ao seu dispor. Gunnlaug agradeceu a oferta, mas disse que primeiro iria à Islândia, para buscar por sua noiva prometida.

Então, o conde o informou:

— Todos os navios com destino à Islândia já zarparam.

Em seguida, um dos homens do rei disse:

— Ontem aportou aqui Hallfred Troublous-Skald.

Ao ouvir a informação, o conde resolveu ir ao encontro de Hallfred. Desse modo, o conde Eric e Gunnlaug foram de barco ao encontro de Hallfred, que os saudou com alegria. O verão já terminava, e Hallfred contou a Gunnlaug sobre as intenções de Raven:

— Já ouviu que Raven, filho de Onund, está cortejando Helga, a Justa?

Gunnlaug respondeu que tinha ouvido falar daquilo, mas de forma pouco clara. Hallfred disse-lhe tudo o que sabia, e que muitos homens falavam sobre Raven ser um homem menos corajoso do que Gunnlaug. E Hallfred completou:

— Bem, companheiro, você pode se sair melhor em sua luta com Raven do que eu na minha. Trouxe meu navio alguns invernos atrás para Leiruvag e teria que pagar meio marco em prata a um membro da casa de Raven para ancorar, mas neguei. Então Raven cavalgou até nós com sessenta homens e cortou as amarras do navio, e ele foi levado para as águas rasas, e nós quase naufragamos. Por isso, eu jurei me vingar de Raven. Essa é a história das minhas relações com ele.

Depois, os dois falaram sobre Helga, a Justa, e Gunnlaug elogiou-a muito pela sua bondade.

Capítulo XII

Os viajantes foram até Hraunhaven, onde chegaram meio mês antes do inverno, e lá descarregaram suas mercadorias. Naquele lugar, havia um homem chamado Thord, filho de um escravo da Planície. Ele desafiava os capitães a lutarem com ele, vencendo-os na maioria das vezes.

Gunnlaug aceitou o desafio. Na noite anterior, Thord fez oferendas a Thor pela vitória, mas no dia seguinte, quando os dois homens lutaram, ele perdeu a luta. Gunnlaug colocou os dois pés debaixo de Thord e, desequilibrando-o, derrubou-o. Contudo, Gunnlaug também perdeu o equilíbrio e caiu junto com Thord.

Então, Thord disse:

— Talvez outras coisas não estejam tão bem para você.

— Como o que? — quis saber Gunnlaug.

Os seus negócios com Raven, se ele se casar com Helga, a Justa. Ele estava ansioso durante o Althing, quando isso foi resolvido no verão passado.

Gunnlaug não respondeu a nada.

Depois da luta, seu pé ferido tornou a inchar terrivelmente. Mas ele e Hallfred cavalgaram com mais doze companheiros até chegarem a Gilsbank, em Burg-firth, precisamente na noite de sábado, quando as pessoas se reuniam para o casamento em Burg. Illugi estava alegre por encontrar seu filho Gunnlaug e seus companheiros. Gunnlaug, porém, disse que iria cavalgar de lá até Burg. Illugi interveio. Afirmou que não era sensato fazer aquilo, e todos, menos Gunnlaug, deram-lhe razão. Além disso, Gunnlaug estava incapacitado de andar por causa do seu pé ferido, embora ele não deixasse que isso transparecesse. Assim, ele desistiu de cavalgar até Burg naquela noite de inverno.

Capítulo XIII

Hungerd, a filha de Thorod e Jofrid, foi cortejada por um homem chamado Sverting, filho de Hafr-Biorn e de Mold-Gnup, e o casamento deveria acontecer naquele mesmo inverno, depois do Yule, em Skaney, onde habitava Thorkel, um parente de Hungerd, e filho de Torfi Valbrandsson. A mãe de Torfi era Thorodda, irmã de Odd.

Raven foi para Mossfell com Helga, agora sua esposa, onde passaram um tempo. Numa manhã cedo antes do dia raiar, Helga estava acordada, mas Raven dormia e deu mostras de sentir-se mal durante o sono. Quando acordou, Helga perguntou-lhe o que ele tinha sonhado. Então Raven contou que sonhara com sua própria morte.

Helga desdenhou:

— Nunca chorarei por sua morte. Você me enganou maldosamente, e Gunnlaug certamente supera você! — E, dizendo isto, ela desandou a chorar.

Depois dessa confissão, Helga tornou-se tão ríspida com Raven, que ele não pôde mantê-la em casa em Mossfell, de modo que eles tiveram de voltar para Burg, onde Raven conseguiu desfrutar um pouco de sua companhia.

Os homens preparam-se para a despedida de solteiro de Sverting, naquele inverno. Thorkel de Skaney despediu-se de Illugi, o Negro, e de seus filhos. Mas quando Illugi se dispôs a ir, Gunnlaug pareceu contrariado. Illugi foi até ele e perguntou:

— Por que não se prepara para ir à festa?

Gunnlaug respondeu secamente:

— Não tenho vontade de ir.

Illugi insistiu:

— Mas certamente deveria ir, meu filho. Não se lamente pelos anseios de uma mulher. Faz como se não soubesse nada disso, pois nunca lhe faltarão mulheres.

Gunnlaug fez como o seu pai lhe ordenou. Assim, eles foram ao casamento, e Illugi e os seus filhos foram colocados em assentos nobres, mas Thorstein Egilson, e Raven, o seu genro e futuro noivo depois dele, foram sentados nos melhores lugares.

As mulheres sentaram-se também, e Helga, a Justa, sentou-se ao lado do noivo. Muitas vezes, ela virou seus olhos para Gunnlaug, provando assim o dito popular que afirma que noiva trairia o marido se amasse outro homem.

Gunnlaug estava bem trajado, vestindo aquela bela veste que o rei Sigtrygg lhe tinha dado. Ele era visto como muito superior aos outros homens, devido às suas muitas qualidades, como a força e a bondade.

Havia pouca alegria entre o povo naquele casamento. Mas no dia em que todos os homens tomavam providências para partir, e as mulheres preparavam-se para voltar para casa, Gunnlaug foi falar com Helga, e conversaram por muito tempo. Então Gunnlaug deu a Helga seu manto, o presente que recebera de Ethelred. Emocionada, Helga lhe agradeceu muito pelo presente.

Então Gunnlaug se foi. Montou em seu cavalo e partiu a galope. Em determinado local, passou por Raven a toda velocidade, fazendo-o sair do seu caminho. Então, Gunnlaug disse:

— Não há necessidade de recuar, Raven, pois não o ameacei neste momento, mas você sabe, com certeza, o que esperar.

Raven perguntou se teriam de lutar pela mulher que já era dele, e Gunnlaug se preparou para o combate. Contudo, Illugi e Thorstein correram em direção a eles, pois não queriam que eles lutassem. Então, Gunnlaug contou que tinha sido atrasado pelo poderoso rei da Ilha, Ethelred da Inglaterra, que não tinha permitido sua partida.

Com isso, ambos cavalgaram de volta para suas casas, e tudo permaneceu calmo naquele inverno, embora Raven não tivesse a simpatia de Helga.

Capítulo XIV

No verão, os homens cavalgaram para a reunião do conselho, o Althing. Illugi, o Negro, acompanhado de seus filhos: Gunnlaug e Hermund. Também foram Thorstein Egilson e Kolsvein, seu filho; Onund, de Mossfell, e seus filhos todos, e Sverting, filho de Hafr-Biorn. Skapti ainda era seu porta-voz.

Durante a assembleia do Althing, quando os homens estavam na Colina das Leis, onde as questões legais eram tratadas, Gunnlaug pediu a palavra e perguntou:

— Raven, o filho de Onund, está aqui?

Raven ergueu-se de seu assento, mostrando-se a Gunnlaug, que lhe dirigiu um olhar duro. Então, falou:

— Raven, você bem sabe que cortejou e se casou com a minha noiva prometida. Desse modo, você mesmo se fez meu inimigo. Por isso, agora, diante do Althing aqui reunido na Colina das Leis, desafio você a submeter nossa diferença pelo machado. Em três noites a partir de agora, lutaremos no holm[1].

Raven respondeu:

1 Espécie de ringue, onde as disputas eram travadas (N. da T.)

— Isso é proibido, porque o prazo de espera do seu retorno foi ultrapassado, descompromissando a palavra do pai da noiva. Mesmo assim, estou pronto para aceitar seu desafio.

Isso desconcertou os parentes de Gunnlaug e de Raven, pois consideravam o duelo uma coisa muito ruim. Mas, naquela época, a lei era essa: aquele e que acreditava ter sido injustiçado por outro homem poderia desafiá-lo para lutar no holm.

Então, quando três noites se passaram, os combatentes se prepararam para a luta e dirigiram para o local da disputa. Illugi, o Negro, seguiu seu filho até lá acompanhado de muitos homens. Mas Skapti, o porta-voz da lei, foi com Raven, e seu pai e outros parentes dele.

Quando os combatentes se viram frente a frente no holm, lançaram desafios. Gunnlaug recitou uma canção acusando Raven de lhe ter tirado Helga, mas não fora capaz de conquistar seu amor e, por isso, teria que matá-lo.

Então Raven respondeu, recitando também uma canção afirmando que a justiça prevaleceria e que, assim, seria Raven o vencedor.

Hermund foi o escudeiro de seu irmão, Gunnlaug, e Sverting, filho de Hafr-Biorn, era quem portava as armas de Raven. Aquele que fosse ferido perderia e deveria pagar um resgate de três marcos de prata.

Cabia a Raven dar o primeiro golpe, já que era ele que tinha sido desafiado. Raven desferiu um golpe potente, que Gunnlaug amparou com a parte de cima do escudo, mas a espada de Raven deslisou pelo escudo e atingiu bochecha de Gunnlaug, ferindo-o. Desse modo, os parentes dos combatentes se colocaram entre eles, interrompendo a disputa.

— Agora — disse Gunnlaug —, eu desafio Raven a lutar sem armas.

— Mas eu declaro que você foi derrotados, pois foi ferido — discordou Raven.

Gunnlaug ficou quase louco de ódio e afirmou que a disputa não tinha terminado ainda.

Illugi, seu pai, intercedeu e lembrou a lei, concluindo que eles não deveriam lutar mais.

Gunnlaug respondeu:

O característico longship nórdico

— O que mais desejo é poder encontrar Raven novamente e que você, pai, não anseia para nos separar.

E eles se separaram por ora, e todos os homens voltaram para seus alojamentos.

Mas no dia seguinte à luta, foi votada no Althing uma lei que proibia, a partir de então, todos os duelos. Assim foi feito pelo conselho dos homens mais sábios que estavam participando do Althing. Lá, de fato, estavam os homens experientes que haviam tomado parte de muitos Althings em todas as terras nórdicas. Desse modo, aquele foi o último duelo por justiça, ou holmgang, travado na Islândia e Gunnlaug e Raven, os últimos duelistas.

Essa decisão foi uma das coisas mais importantes realizadas na Islândia até então.

Certa manhã, quando os irmãos Hermund e Gunnlaug foram até o rio Água-de-Machado para se lavarem, encontraram muitas mulheres vindo em direção ao rio, na outra margem. Entre elas estava Helga, a Justa.

Então, disse Hermund:

— Você vê sua amiga Helga lá do outro lado do rio?

— Certamente, eu vejo — respondeu Gunnlaug. E, sem hesitar, atravessou o rio pelo vau, acompanhado de Hermund.

Helga e Gunnlaug conversaram bastante tempo, e quando os irmãos cruzaram o rio de volta para se irem, Helga levantou-se e fixou seu olhar em Gunnlaug até perdê-lo de vista.

Capítulo XV

Depois desses fatos, os homens voltaram para casa após o Althing, e Gunnlaug dirigiu-se a Gilsbank, onde morava.

Em uma manhã, quando acordou todos os homens já tinham se levantado. Ele ainda estava deitado e ficara sozinho em casa. Então, vieram doze homens, todos armados, entre eles Raven, filho de Onund. Gunnlaug imediatamente pegou suas armas e foi ao encontro deles.

E Raven falou:

— Vim até aqui para lhe dizer que você me desafiou para um holmgang no verão passado durante o Althing e não considerou que a disputa foi encerrada. Por isso, vou propor que nós dois saiamos da Islândia e vamos para o exterior no próximo verão, para a Noruega, onde podemos lutar sem que nossos parentes se interponham entre nós.

Gunnlaug respondeu:

— Bem-vindas suas palavras, mais forte dos homens! Esta proposta eu recebo com prazer, e aqui, Raven, você pode ficar desfrutar minha hospitalidade tanto quanto desejar.

— Agradeço o convite — respondeu Raven, mas desta vez teremos que ir logo.

E, assim, eles se separaram.

Os parentes de ambos os agravados queriam o seu bem, mas não poderiam intervir por causa da grande ira que tomava Gunnlaug e Raven.

Raven zarpou em navio em Leiruvag, acompanhado de dois homens, seus parentes, filhos de irmãs de seu pai, Onund, um Hight Grim, o outro Olaf, ambos homens dotados. Todos os parentes de Raven ficaram satisfeitos quando ele partiu, mas ele havia contado que tinha desafiado Gunnlaug para o holmgang no exterior, porque ele não poderia obter nenhuma alegria sem Helga. Declarou que um dos dois deveria tombar mortalmente ferido diante do outro.

Então Raven se lançou ao mar, quando o vento soprou a favor, e levou navio para Thrandheim, e lá passou aquele inverno, sem ouvir nada a respeito de Gunnlaug durante toda a estação. Deveriam se encontrar no verão seguinte: e ainda outro inverno foi ele em Thrandheim, em um lugar chamado Lifangr.

Gunnlaug Língua de Serpente tomou navio com Hallfred Troublous-Skald, no norte da Planície, navegando com bom vento e chegaram a Orkney um pouco antes do inverno. Earl Sigurd Lodverson ainda era senhor daquelas ilhas, e Gunnlaug foi ter com ele e passou lá aquele inverno.

Na primavera, o conde iria para a guerra, e Gunnlaug se preparou para ir com ele. Naquele verão eles fizeram campanha nas ilhas do sul e na Escócia, travando muitas batalhas. Nelas, Gunnlaug sempre se mostrou o mais corajoso e hábil entre os guerreiros, o mais duro dos homens onde quer fossem.

Earl Sigurd voltou para casa no início do verão, mas Gunnlaug zarpou em seu navio, navegando para a Noruega. Ele e o conde Sigurd se separaram, tendo reforçado demasiadamente seus laços de amizade.

Gunnlaug foi ao norte de Thrandheim, para Hladir, para ver Earl Eric, e passou lá o início do inverno. O conde o recebeu com prazer e convidou Gunnlaug para ficar com ele, e Gunnlaug aceitou.

Contudo, o conde já tinha ouvido do ocorrido entre Gunnlaug e Raven e avisou Gunnlaug que ele também proibira os duelos em seu reino. Gunnlaug respondeu afirmando que o conde era livre para estabelecer sua lei.

E Gunnlaug lá passou o inverno, sempre com o humor carregado.

Capítulo XVI

Um dia na primavera, Gunnlaug caminhava com seu parente Thorkel, e ambos se afastaram da aldeia. Diante deles, viram um círculo de homens, e nesse círculo estavam dois homens lutando com espadas. Um era chamado de Raven e o outro, de Gunnlaug. Os homens que formavam o círculo ao redor deles zombavam dos islandeses. Gunnlaug se ofendeu com a zombaria e se retirou em silêncio.

Então, pouco tempo depois, ele disse ao conde que não podia mais suportar as vaias e zombarias de seus cortesãos sobre suas relações com Raven, e com isso ele pediu ao conde para lhe dar um guia que o conduzisse a Lifangr. Antes de Gunnlaug fazer seu pedido, o conde tinha sido informado que Raven tinha deixado Lifangr e ido para o leste, em direção à Suécia. Desse modo, ele permitiu que Gunnlaug partisse e deu-lhe dois guias para a viagem.

Gunnlaug foi-se, então, de Hladir acompanhado de três homens para Lifangr. Raven partiu de Lifangr na manhã do dia em que Gunnlaug, quando a noite já caia. Raven tinha deixado Lifangr com quatro homens. Assim Gunnlaug foi atrás deles, para Vera-dale, chegando à noite seguinte da partida de Raven.

Gunnlaug continuou até chegar, à noite, na fazenda mais alta no vale, chamada Sula, de onde Raven partiu naquela manhã. Daquela vez, porém, ele não interrompeu sua jornada, continuando a viagem durante a noite.

Então, de manhã, ao nascer do sol, os inimigos se encontraram. Raven tinha chegado a um lugar onde havia dois regatos, chamado Dingness. Lá, ele e seus companheiros, cinco no total, tomaram sua posição. Entre os homens de Raven estavam seus parentes, Grim e Olaf.

Quando se encontraram, Gunnlaug disse:

— É bom termos nos encontrado.

Raven disse que ele não tinha motivo para lutar com ele, pois tinha recebido a mão de Helga, a Justa, de forma correta e o vencido no holmgang, na Islândia, durante o Althing. Mas se Gunnlaug queria mesmo o duelo ele não iria ceder. Disse Raven:

— Agora você pode escolher como perderá a luta; ou lutamos sozinhos, eu contra você, ou lutamos todos nós, eu e meus homens contra você e os seus.

Gunnlaug disse que para ele poderia ser de qualquer maneira.

Em seguida, falaram os parentes de Raven, Grim e Olaf. Eles disseram que não gostariam de ficar parados apenas assistindo à luta. O mesmo declarou Thorkel, o Negro, parente de Gunnlaug.

Em seguida, Gunnlaug se dirigiu aos guias do conde:

— Vocês devem sentar-se e não ajudar nenhum dos lados. Devem testemunhar nosso combate.

E assim eles fizeram.

Então, os combatentes começaram a luta. Grim e Olaf foram ambos contra Gunnlaug, atacando-o ao mesmo tempo. Gunnlaug, porém, matou os dois e não foi ferido.

Enquanto isso, Raven e Thorkel, o Negro, lutaram até que Thorkel, ferido, caiu diante de Raven sem vida. Assim, restaram apenas Raven e Gunnlaug. Então, os dois travaram um combate singular. Começaram a luta ferozes, desferindo golpes poderosos.

Gunnlaug usava a espada que Ethelred lhe tinha dado, e essa era a melhor das armas. Finalmente, Gunnlaug deu um golpe poderoso em Raven, e cortou sua perna, mas Raven não caiu. Equilibrou-se e se amparou em uma árvore próxima.

Então, disse Gunnlaug:

— Agora você deve se conformar com o resultado da batalha. Não lutarei com você, um homem mutilado, por mais tempo.

Raven respondeu:

— Então, — disse ele — minha sorte agora é a pior, mas eu ficaria melhor se pudesse beber um pouco de água.

Gunnlaug disse:

— Não me traia, que vou pegar um pouco de água para você.

— Eu não vou trair você — disse Raven. Em seguida, Gunnlaug foi até um riacho, recolheu água em seu capacete e levou para Raven. Contudo, enquanto Raven estendeu a mão esquerda para pegar o capacete com a água, com a mão direita, golpeou com sua espada a cabeça de Gunnlaug, abrindo uma grande ferida.

Então Gunnlaug disse:

— Me enganou, e o fez de modo traiçoeiro, quando eu confiei em você!

Raven respondeu:

— Você diz isso, mas foi você quem causou isso, pois eu invejava você por ter conquistado o coração de Helga, a Justa.

Com essas palavras, retomaram o combate. No final, Gunnlaug superou Raven, e lá Raven, tirando-lhe a vida.

Em seguida, os guias do conde se apresentaram e fizeram um curativo com bandagens na cabeça de Gunnlaug. Depois, enterraram os mortos, e levaram Gunnlaug para seu cavalo, ajudando-o a montar. Então, seguiram direto para Lifangr. Lá, Gunnlaug passou três noites lutando contra a febre, mas acabou morrendo por conta do ferimento e lá foi enterrado.

E assim foi como Gunnlaug e Raven morreram.

Capítulo XVII

Naquele verão, antes que essas notícias chegassem à Islândia, Illugi, o Negro, estando em sua casa, em Gilsbank, teve um sonho. Ele sonhou que Gunnlaug veio até ele enquanto dormia, todo sangrando, e recitou uma canção. Quando acordou, Illugi se lembrou da canção quando acordou e a cantou diante dos outros membros da sua casa:

Saiba que eu, com aço e fúria,
Busquei revanche contra Raven.
Com o fio da espada,
A perna de Raven foi cortada,
E das feridas quentes bebeu a águia,
Quando a vara de guerra esbelta,
Ceifadora de cadáveres,
Caiu sobre a cabeça de Gunnlaug.

Moeda de prata da Era Viking com o símbolo triskel

Esse presságio também se manifestou em Mossfell, na mesma noite, quando Onund sonhou que Raven foi até ele, todo coberto em sangue, e cantou:

Vermelha é a espada, mas eu agora
Estou desfeito por Odin.
Contra escudos além do mar,
A ruína foi invocada.
O sangue manchando de rubro
As cabeças de homens que lá estavam,
Feridos, caídos sobre seus corpos feridos.

No segundo verão depois do duelo, Illugi, o Negro, falou no Althing, reunido na Colina das Leis, dirigindo-se a Onund:

— Faça uma expiação para mim e para o meu filho, a quem Raven, seu filho, enganou.

Onund respondeu:

— Longe de mim expiar por ele, pois tão dolorosamente seu desafio me feriu. No entanto, eu não vou pedir sua expiação para o meu filho.

— Então minha ira se voltará para a sua casa, para seus parentes — ameaçou Illugi.

Conta a história que naquele outono, Illugi saiu de Gilsbank com trinta homens e foi para Mossfell no início da manhã. Então, Onund se refugiou no templo com seus filhos, mas Illugi pegou dois de seus parentes, um chamado Bjorn e o outro Thorgrim, e matou Bjorn morto, mas foi ferido por Thorgrim. E depois disso Illugi voltou para sua casa.

Hermund, filho de Illugi, teve pouca alegria após a morte de Gunnlaug seu irmão, e considerou que ele não tinha sido vingado, mesmo que isso tivesse sido feito de fato.

Havia um homem também chamado Raven, filho do irmão de Onund de Mossfell. Ele era um grande navegante e tinha um navio que estava em Ramfirth. Na primavera Hermund Illugison cavalgou de casa sozinho e foi ao norte, até Ramfirth, onde estava o barco de Raven. Os tripulantes estavam, então, quase prontos para zarpar, mas Raven ainda estava em terra. Hermund dirigiu-se até ele, diante de todos, atravessou-o com sua lança, fugindo a cavalo imediatamente, deixando os homens de Raven atônitos e sem ação diante de Hermund.

Nenhuma expiação foi feita para esse assassinato, e com isso terminou os negócios de Illugi, o Negro e Onund de Mossfell.

Capítulo XVIII

Com o passar do tempo, Thorstein Egilson casou sua filha Helga com um homem chamado Thorkel, filho de Hallkel, que vivia a oeste em Hraundale. Helga foi à sua casa na condição de esposa, mas o amava pouco, pois ela não podia deixar de pensar em Gunnlaug, embora ele estivesse morto. No entanto, Thorkel era um homem rico, possuidor de bens e um bom skald, ou poeta. O casal teve filhos juntos, um deles se chamava Thorarin, outro Thorstein, e ainda mais outros eles tiveram.

Mas a principal alegria de Helga era acariciar o manto, o presente de Gunnlaug, e ela estava sempre olhando para ele.

Mas em um tempo veio uma grande doença para a casa de Thorkel e Helga, e muitos ficaram presos em suas camas por um longo tempo. Helga também adoeceu, e ainda assim ela não conseguia permanecer na cama.

Então, numa noite de sábado Helga sentou-se na sala de sua casa e reclinou a cabeça sobre os joelhos de seu marido, e pediu que lhe trouxessem o manto que Gunnlaug tinha dado para ela. Quando recebeu a indumentária, ela sentou-se e olhou para o manto por algum tempo e, depois, deixou-se cair de novo sobre o colo de seu marido. Estava morta. Então Thorkel cantou:

Morta em meus braços, ela caiu,
Minha querida, dona dos anéis de ouro,
Pois Deus encurtou os dias de vida
Desta bela senhora.
Dor, cansaço e ferida,
Mas para mim, o buscador,
Permanecer aqui é mais triste.

Helga foi enterrada na igreja local, e a sua morte trouxe tristeza para todos, como era para ser.

E AQUI TERMINA A HISTÓRIA

PARTE III

Eric Olhos Brilhantes

Como Asmund, o sacerdote, encontrou Groa, a bruxa

Havia um homem do sul, antes de Thangbrand, filho de Wilibald, que pregou o cristianismo na Islândia. Era chamado de Eric Olhos Brilhantes, filho de Thorgrimur. Naqueles dias não havia ninguém com a força, beleza e audácia de Eric Olhos Brilhantes, pois em todas essas coisas ele era superior. Contudo, ele não tinha tanta sorte.

Havia também duas mulheres que viviam no sul, não muito longe de onde as Ilhas Westman se encontram. Gudruda, a Justa, era o nome de uma, e Swanhild, conhecida como a Sem-Pai, e filha de Groa, era a outra. Eram meias-irmãs, e não havia nenhuma como elas naquela época, pois eram as mais belas de todas as mulheres, embora não tivessem nada em comum, exceto seu sangue e ódio.

Sobre Eric Olhos Brilhantes, Gudruda, a Justa, e Swanhild, a Sem--Pai, há uma história para contar.

Essas duas belas mulheres nasceram na mesma época, mas Eric Olhos Brilhantes era cinco anos mais velho. O pai de Eric era Thorgrimur Pé de Ferro. Ele tinha sido um homem poderoso, mas numa luta com um berserker, seu pé foi cortado ao subir da semeadura de trigo, e foi substituído para uma perna de madeira calçada em ferro. Ainda assim, ele matou o berserker de pé em apenas uma perna e encostado em uma rocha, e por esse ato ele foi muito honrado. Thorgrimur era um fazendeiro rico, com pouca ira, justo e de muitos amigos. Um pouco tarde na vida ele se casou com Saevuna, filha de Thorod. Ela era a melhor das mulheres, forte de mente e tinha o cabelo tão comprido que podia se cobrir com ele. Esses dois nunca se amaram muito e tiveram apenas um filho, Eric, que nasceu quando Saevuna era bem velha.

O pai de Gudruda era Asmund Asmundson, o Sacerdote de Middalhof. Ele era o mais sábio e o mais rico de todos os homens que viviam no sul da Islândia naquela época, possuindo muitas terras e, também, dois navios de mercadorias e um grande navio de guerra, que rendiam muito dinheiro. Ele tinha ganho a sua riqueza com o trabalho de viking, roubando as costas inglesas, e os seus feitos da juventude no mar eram contados em sagas, pois ele era um viking poderoso. Asmund era um homem bonito, com olhos azuis e uma grande barba, e, além disso, era muito habilidoso em assuntos de leis. Ele gostava muito de dinheiro e era temido por todos. Ainda assim, tinha muitos amigos, pois à medida que envelhecia, sua gentileza crescia. Asmund era casado com Gudruda, filha de Björn, que era muito doce e bondosa por natureza, de modo que lhe chamavam Gudruda, a Gentil. Deste casamento nasceram dois filhos, Björn e Gudruda, a Justa. Björn cresceu como o seu pai na juventude, forte, firme e ganancioso, enquanto Gudruda era muito bela, mas era apenas a filha solitária de sua mãe.

A mãe de Swanhild, a Sem-Pai, era Groa, a Bruxa. Ela era finlandesa, e dizem que o navio em que ela veio, tentando passar pelas ilhas Westman durante um grande vendaval, foi despedaçado numa rocha, e todos os que estavam a bordo foram apanhados e afogados na rede de Ran, exceto Groa que foi salva pela arte da sua magia. Quando Asmund, o Sacerdote, desceu à beira-mar na manhã após o vendaval para procurar alguns de seus cavalos que estavam perdidos, encontrou uma bela mulher que usava um manto roxo e uma grande cinta de ouro. Ela estava sentada numa rocha, penteando os seus cabelos pretos. Aos seus pés, havia um homem morto. Ele perguntou de onde ela tinha vindo, e ela deu o nome do lugarejo de onde zarpara:

— Vim do Rio do Cisne.

Em seguida, Asmund perguntou a ela onde estavam os seus parentes. Mas, apontando para o homem morto, ela disse que ele era tudo o que lhe restava deles.

— Quem era este homem? — disse Asmund, o Sacerdote.

Ela riu novamente e cantou essa canção:

"Groa navega vinda do Rio do Cisne,
Os Deuses da Morte agarram a mão do Homem Morto.
Vejam onde está o seu marido sem sorte,
[Espada de mar mais corajosa!]
Asmund, não tire a túnica,
Pois ontem à noite as Nornas choraram,
E Groa pensou que tinham falado de ti:
Sim, falaram de ti e de bebês por nascer."

— Como sabe o meu nome? — Perguntou Asmund.

— Os marinheiros choraram enquanto o navio afundava, o teu e outros - e eles serão ouvidos na história.

— Então essa é a melhor das sortes — disse Asmund —, mas acho que você está olhando para si mesma.

— Certo — respondeu ela. — Assim é e é justo.

Vikings rus sitiando
Constantinopla, em 860

— De fato é justo. O que devemos fazer com este homem morto?

— Deixem-no nos braços de Ran. Que assim se deleitam todos os maridos.

Nessa altura, Asmund já não falavam com ela, visto que era uma bruxa. Mas ainda assim, ele levou Groa para Middalhof e lhe deu uma terra, onde ela passou a viver sozinha. Quanto a Asmund, ele lucrou muito com a sabedoria da bruxa.

Então, Gudruda, a Gentil, ficou grávida e, quando chegou sua hora, ela deu à luz a uma filha: uma menina muito bonita, de olhos escuros. No mesmo dia, Groa, a feiticeira, deu à luz uma menina, e os homens perguntaram-se quem seria o seu pai, pois Groa não era mulher de nenhum homem. Entre as mulheres, correu a notícia de que Asmund, o Sacerdote, era o pai da criança, mas quando ele ouviu os rumores, ficou zangado e disse que nenhuma bruxa iria conceber uma criança sua. Mesmo assim, ainda se dizia que a criança era dele, e certamente ele a amava como um homem ama aos seus filhos. De todas as coisas, porém, essa é a mais difícil de se saber. Quando Groa foi interrogada, ela gargalhou de forma sombria, como era sua maneira, e disse que nada sabia sobre os rumores e que nunca viu o rosto do pai da criança, pois ele surgiu do mar durante a noite. Por esta razão, alguns pensaram que tinha sido um feiticeiro ou o espírito de seu falecido marido que a engravidara, mas outros disseram que Groa mentiu, como muitas mulheres fazem com relação a tais assuntos. Mas, para além de toda essa história, a criança ficou sozinha, e ela se chamava Swanhild.

Uma hora antes do nascimento do filho de Gudruda, a Gentil, Asmund partiu de sua casa em direção ao Templo para cuidar do fogo sagrado que ardia noite e dia sobre o altar. Depois de ter cuidado do fogo, sentou-se nos bancos diante do santuário e, olhando para a imagem da deusa Freya, adormeceu e teve um sonho muito, muito ruim.

Asmund sonhou que Gudruda, a Gentil, tinha uma pomba linda de penas de prata, e que Groa, a Bruxa, tinha uma cobra dourada. No sonho, a cobra e a pomba habitavam juntas, mas a cobra sempre tentava matar a pomba. Então, um grande cisne branco sobrevoou a colina de Coldback, e a sua língua era uma espada afiada. O cisne viu a pomba e adorou-a, assim como a pomba adorou o cisne, mas a cobra armou o bote, sibilou e tentou matar a pomba. Contudo, o cisne cobriu a pomba com as suas asas, e bateu na cobra dourada. Então ele, Asmund, afastou o cisne. Como, porém, o cisne tinha expulsado a cobra, ele voou alto em direção ao sul, e a cobra nadou para longe através do mar. A pomba ficou só e agora estava cega. Então, do norte, veio uma águia que teria pegado a pomba, mas ela fugiu, chorando. Ainda assim, a águia tentava se aproximar mais e mais dela. Do sul, o cisne voltou, voando muito rapidamente, e em torno do seu pescoço estava enrolada a cobra dourada. Com ele, vinha também um corvo. Quando o cisne viu a águia, que fazia um barulho próprio, deixou a serpente cair como um brilho de ouro no mar. Então a águia e o cisne lutaram. O cisne empurrou a águia para baixo e quebrou-a com as asas, e, voando para a pomba, confortou-a. Mas os que estavam na casa saíram para fora e atiraram flechas contra o cisne, afastando-o. Agora, Asmund, não estava mais com eles. E, mais uma vez, a pomba foi abandonada, e novamente o cisne voltou. Com ele, o corvo e os anfitriões se reuniram. Entre eles estavam todos os parentes de Asmund, e os homens da sua família e alguns do seu sacerdócio e muitos que ele não conhecia pessoalmente. O cisne voou para Björn, seu filho e o golpeou com a espada da sua língua, matando-o. Do mesmo modo, o cisne matou muitos homens. O corvo, com um bico e garras de aço, matou também muitos outros, de modo que os parentes de Asmund fugiram, e o cisne pode ficar ao lado da pomba. Mas enquanto dormia, a cobra dourada rastejou para fora do mar e sibilou nos ouvidos dos homens fazendo com que eles a seguissem. Ela chegou ao cisne enrolando-se em torno do seu pescoço e, quando chegou à pomba, matou-a. Quando o cisne e o corvo acordaram, eles lutaram até que todos os parentes restantes de Asmund e seu povo estivessem mortos. Mas a serpente ainda se agarrou ao pescoço do cisne, e assim, os dois caíram ao mar, enquanto fora d'agua ardeu uma chama. Então, Asmund acordou a tremer e deixou o templo.

Enquanto ele deixava o santuário, uma mulher veio em sua direção correndo e chorando.

— Se apresse, depressa! — gritou ela. — Sua filha nasceu, e Gudruda, sua mulher, está prestes a morrer!

— É mesmo? — espantou-se Asmund, depois de contemplar os maus augúrios transmitidos pelo sonho.

Na cama, colocada no meio do grande salão de Middalhof, estava Gudruda, a Gentil, e ela estava morrendo.

— Você está aí, meu marido? — perguntou ela.

— Sim, esposa! — confirmou ele.

—Você está vindo numa má hora, pois é a minha última. Mas agora me escute: pegue este bebê recém-nascido nos seus braços e beija-o, lava-o e dê a ela o meu nome.

E assim fez Asmund.

— Escute, meu marido, eu tenho sido uma boa esposa para ti, embora você não tenha sido tão bom para mim. Mas ainda assim me jure que, embora ela seja uma menina, você não vai condená-la a perecer, mas lhe dará carinho e alimento.

— Eu juro — disse Asmund.

— Você também deve me jurar que não se casará com a bruxa Groa, e não terá nada com ela, e isso eu lhe peço pelo seu próprio bem, pois, se fizer isso, ela será a sua morte. Jura?

— Eu juro — respondeu ele.

— Saiba que, se você quebrar seu juramento, seja nas palavras ou no espírito das palavras, o mal o alcançará e a toda a sua casa. Agora, despede-se de mim, pois vou morrer.

Ele inclinou-se sobre ela e beijou-a, e dizem que Asmund chorou naquela hora, pois, da sua forma, ele amava a sua mulher.

— Me dê a criança — pediu Gudruda — para que ela possa deitar-se uma última vez sobre o meu peito.

Eles lhe deram o bebê, e quando ela olhou para os seus olhos escuros, disse:

— Você será a mais bela das mulheres, Gudruda, a Justa, como nenhuma mulher na Islândia jamais foi antes de você, e amarás com um amor poderoso, o qual perderás, mas perdendo, encontrarás de novo.

Conta-se que, ao dizer tais palavras, o seu rosto ficou iluminado como o de um espírito, e, tendo-as dito, caiu morta. Então, entregaram seu corpo à terra, e Asmund lamentou muito.

Mas, quando tudo acabou, o sonho que ele tinha tido ainda pesava em sua mente. De todos os adivinhos de sonhos, Groa era a mais hábil, e quando Gudruda já estava enterrada havia sete dias inteiros, Asmund procurou Groa, embora estivesse cauteloso por causa do seu juramento.

Ele foi até a casa dela e entrou. Num sofá, no quarto, estava Groa com seu bebê em seu peito, e ela era muito bela.

— Saudações, senhor! — disse ela. — O que faz aqui?

— Eu tive um sonho, e só você pode interpretá-lo.

— Pode ser que sim — ela respondeu. — De fato eu tenho habilidades com sonhos. Deixe-me ao menos ouvi-lo.

Então ele contou a ela com todas os detalhes

— O que você me dará se eu ler seu sonho? — perguntou ela.

— O que você quer? Me parece que já lhe dei muito.

— Sim, senhor — e ela olhou para o bebê em seu peito. — Eu peço uma pequena coisa: que você pegue este bebê em seus braços, lave-o e lhe dê um nome.

— Os homens falarão se eu fizer isso, pois apenas o pai pode fazê-lo.

— O que os homens dizem é de pouca importância, pois as conversas passam como o vento. Além disso, mentirá sobre o nome da criança, pois ela será Swanhild, a Sem-Pai. No entanto, esse é o meu preço. Pague se quiser.

— Fale-me sobre o sonho e eu darei um nome à criança.

— Primeiro dê um nome ao bebê. Dessa forma, nenhum mal lhe acontecerá.

Então Asmund pegou a criança, lavou-a e proferiu o seu nome.

Então Groa falou:

— Esta, senhor, é a leitura de seu sonho, caso não me falte sabedoria: a pomba prateada é a sua filha Gudruda, e a cobra dourada é a minha filha Swanhild, e as suas se odiarão e lutarão uma contra a outra. O cisne é um homem poderoso que ambas amarão, e, ainda que não ame ambas, pertencerá a elas. Você o mandará embora, mas ele há de voltar e trazer má sorte para você e para sua casa, e a sua filha ficará cega de amor por ele. No fim, ele matará a águia, um grande senhor do norte que almeja se casar com sua filha, e muitos outros, com a ajuda do corvo com o bico de aço. Porém, Swanhild triunfará sobre a sua filha Gudruda e esse homem, e os dois morrerão nas mãos dela. Quanto ao resto, quem poderá dizer? Mas uma coisa é verdade: esse homem poderoso colocará fim a toda a tua raça. Veja, assim eu interpreto seu sonho.

Asmund ficou muito indignado.

— Muito sensato de sua parte ter me enganado para dar o nome da sua pirralha bastarda — disse ele —, pois do contrário, teria morrido neste momento.

— Você não pode fazer isso, senhor, pois pegou-a em seus braços — replicou Groa, gargalhando. — Ao invés disso, vá colocar Gudruda, a Justa, nas colinhas de Coldback, e assim colocará fim ao mal, pois Gudruda será a própria raiz desse mal. Além disso, aprenda: o seu sonho não diz tudo, visto que você mesmo deve desempenhar um papel no destino. Vá e envie sua criança Gudruda para lá, de modo que você possa descansar.

— Isso não pode ser feito, pois jurei que não faria dessa forma e este juramento não pode ser quebrado.

— Está bem — disse Groa rindo. — As coisas irão suceder à medida que forem sendo destinadas, então deixem que aconteçam em seu tempo. Há espaço para as lápides em Coldback, e assim o mar poderá cobrir os seus mortos!

Então Asmund partiu, com muita raiva em seu coração.

Como Eric declarou seu amor a Gudruda

Deve-se dizer que, cinco anos antes do dia da morte de Gudruda, a Gentil, Saevuna, a esposa de Thorgrimur Pé-de-Ferro, deu à luz um filho em Coldback, no pântano do rio Ran, e quando seu pai veio ver a criança, ele gritou em voz alta:

— Aqui temos um filho maravilhoso, pois seu cabelo é amarelo como ouro e seus olhos brilham como estrelas — Então Thorgrimur chamou seu filho de Eric Olhos Brilhantes.

Coldback fica a apenas uma hora de viagem de Middalhof, e aconteceu, anos depois, que Thorgrimur foi a Middalhof para celebrar a festa de Yule e para a adoração no templo, pois ele estava no sacerdócio de Asmund Asmundson. Ele levou o menino Eric com ele. Lá também estava Groa com Swanhild, pois agora ela morava em Middalhof, e as três belas crianças foram colocadas juntas no salão para brincar, e todos os homens acharam um grande divertimento vê-las.

Gudruda tinha um cavalo de madeira, e Eric empurrava o cavalo enquanto ela montava nele. Então, Swanhild derrubou-a do cavalo e chamou Eric para empurrá-la, mas ele estava consolando Gudruda que havia caído, e por isso Swanhild ficou zangada e falou:

— Você deve me empurrar se eu quiser, Eric.

Então, Eric empurrou-a de um lado para outro da sala com tanta boa vontade que Swanhild quase caiu no fogo da lareira, e, saltando para cima, ela pegou uma madeira em brasa e atirou em Gudruda, despindo a sua roupa. Os homens riram disto, mas Groa, de pé em um canto, franziu as sobrancelhas e murmurou suas palavras de bruxa.

— Por que este olhar tão sombrio, governanta? — perguntou Asmund. — O rapaz é atraente e tem um bom coração.

— Ah, ele é atraente como nenhuma outra criança e ele será atraente ao longo de toda sua vida. No entanto, isso não terá efeito sobre a sua má sorte, e isso eu profetizo a ele: que as mulheres o levarão até ao seu fim, e ele morrerá como herói, mas não nas mãos dos seus inimigos.

Assim, os anos se passaram pacificamente. Groa viveu com a sua filha Swanhild em Middalhof e era o amor de Asmund Asmundson. Mas, embora tivesse esquecido de seu juramento à esposa morte até aquele momento, ele nunca se casaria com ela. A feiticeira ficou zangada com isto e conspirou muito para que Asmund se casasse com ela. Mesmo assim ele não o faria, embora em todas as outras coisas ela o conduzisse como por um cabresto.

Vinte anos completos se passaram desde que Gudruda, a Gentil fora enterrada. Agora, Gudruda, a Justa, e Swanhild, a Sem-Pai, também já eram mulheres. Eric também já era um homem de vinte e cinco anos, e nenhum outro como ele havia vivido na Islândia. Ele era forte e grande de estatura, seu cabelo era amarelo como ouro e os seus olhos cinzentos brilhavam com a luz das espadas. Eric era gentil e amoroso como uma mulher, e sua força equivalia à de dois homens. Não havia ninguém em toda a região que pudesse saltar, nadar ou lutar contra Eric Olhos Brilhantes. Os homens o honravam e falavam bem dele, ainda que ele não tivesse realizado coisa alguma. Ele vivia em casa, em Coldback, administrando sua terra, pois agora Thorgrimur Pé-de-Ferro, o seu pai, estava morto. Todas as mulheres amavam-no muito, e essa era a sua maldição: apesar de tantas mulheres o amarem, ele amava apenas uma: Gudruda, a Justa, filha de Asmund. Ele amava-a desde criança e só ela; ela também amava a ele e só a ele. Por agora Gudruda era a mais bela de se ver e doce de se ouvir. O seu cabelo, como o de Eric, era dourado, e ela era branca como a neve em Hecla, mas os seus olhos eram grandes e escuros, e seus cílios negros caíam por cima deles. Quanto ao resto, ela era alta, forte e alegre, de feição feliz, mas terna, e a mais espirituosa das mulheres.

Swanhild também era muito bela: era esbelta, de membros pequenos e de cor escura; tinha olhos azuis como o mar profundo e cabelos castanhos encaracolados, longos o suficiente para cobri-la até os joelhos. Sua mente era misteriosa, pois, embora ela estivesse aberta em suas conversas, seus pensamentos eram sombrios e secretos. Sua alegria era atrair os corações dos homens para ela e depois zombar deles. Ela seduziu muitos dessa maneira, pois era a moça mais astuta em assuntos de amor e conhecia bem as artes das mulheres, com as quais elas reduzem os homens a nada. No entanto, ela era fria de coração e desejava muito poder e riqueza. Swanhild estudou bastante sobre magia, a qual sua mãe Groa também tinha acesso. Mas ela também amava um homem, e essa era a semente do destino que entrava em seu coração, pois esse homem era Eric Olhos Brilhantes, que não a amava.

Swinhild o desejava tanto que, sem ele, parecia que todo o seu mundo era sombrio, e sua alma era apenas como um navio conduzido sem leme numa noite de inverno. Por isso, ela se utilizou de todas as suas forças para conquistá-lo, usando também de seus feitiços, que não eram poucos nem pequenos. No entanto, eles passavam por ele como o vento, e ele sempre sonhava com Gudruda e não via outros olhos além dos dela, embora ainda não falassem uma palavra de amor um para o outro.

Mas Swanhild, em sua ira, aconselhou-se com sua mãe Groa, embora houvesse pouca simpatia entre elas. Ao ouvir a história da donzela, Groa gargalhou em alto tom:

— Você me acha cega, garota? — perguntou ela. — Eu já havia visto e previsto tudo isso, e eu lhe digo: você está louca. Deixe este homem Eric ir, e eu encontrarei uma ave mais fina para você voar.

— Não, não vou! — protestou Swanhild. — Amo apenas esse homem e gostaria de conquistá-lo. Eu odeio Gudruda e sei que a derrotaria. Me dê um conselho sobre isso.

Groa gargalhou novamente:

— As coisas devem ser como estão predestinadas. Este é meu conselho: Asmund levaria em consideração a beleza de Gudruda, o homem que casar-se com ela deve ser rico de amizades e de dinheiro, e neste assunto a mente de Björn é como a mente de seu pai. Agora veremos, e, quando houver uma chance, contaremos histórias sobre Gudruda para Asmund e seu irmão Björn, e jurar que ela ultrapassou sua modéstia com Eric. Então Asmund ficará furioso e expulsará Eric de perto de Gudruda. Enquanto isso, farei o seguinte: mais acima, no norte, mora um homem poderoso em todos os sentidos e cheio de orgulho. Ele se chama Ospakar Dente Negro. Sua esposa morreu recentemente, e ele disse que vai se casar com a donzela mais bela da Islândia. Então, tenho em mente enviar Koll, o Tolo, meu servo que Asmund me deu, para Ospakar, como que por acaso. Ele é um grande falador e muito inteligente, pois em sua falta de juízo é mais astuto do que a maioria. Ele deverá elogiar tanto a beleza de Gudruda que Ospakar virá aqui para pedi-la

Combate entre vikings rus e Polovtsy,
por Viktor Vasnetsov (1880)

em casamento e assim, se as coisas correrem bem, você se livrará da sua rival, e eu de alguém que me olha com desprezo. Mas, se isso falhar, restam dois caminhos pelos quais pés fortes podem caminhar até o fim. Um deles é que você deve conquistar Eric com sua própria beleza, e isso não é pouco. Todos os homens são frágeis, e eu tenho um plano que fará com que o coração dele derreta como cera, mas ainda assim o outro caminho é mais seguro.

— E qual é este caminho, minha mãe?

— Ele corre através do sangue, para a escuridão. Ao teu lado está uma faca e, no seio de Gudruda, bate um coração. As mulheres mortas são desfeitas por amor.

Swanhild balançou sua cabeça e olhou para a face escura de Groa, a sua mãe.

— Penso eu que, com tal fim para conquistar, não deveria temer trilhar esse caminho, se houver necessidade, minha mãe.

— Agora vejo que você é realmente minha filha. A felicidade é para os ousados, e para cada um ela vem de forma incerta. Algumas pessoas amam o poder, outras a riqueza, e algumas... um homem. Agarre-se ao que você ama, digo, molde seu caminho para ele e pegue-o, senão sua vida será apenas um cansaço. De que serve ganhar a riqueza e o poder quando se ama apenas um homem? Eia a sabedoria: satisfazer o desejo da sua juventude, pois o tempo passa com ritmo acelerado e além há escuridão. Portanto, se você deseja esse homem, e Gudruda bloqueia seu caminho, mate-a, com feitiçaria ou com o aço, e pegue-o em seus braços. Contudo, primeiro, vamos tentar o plano mais fácil.

— Filha, eu também odeio essa menina orgulhosa, que me despreza como a luz do amor de seu pai. Anseio demais para ver a cabeça brilhante dela embaçada com a poeira da morte, ou, pelo menos, aqueles olhos orgulhosos chorando com lágrimas de vergonha enquanto o homem que ela ama toma você por noiva. Se não fosse por ela, eu seria a esposa de Asmund e, quando ela se for, com a sua ajuda (pois ele te ama muito e tem motivos para te amar), ainda posso ser dele. Portanto, nesta questão, como em outras, vamos de mãos dadas e usar nossa inteligência contra a inocência dela.

— Que assim seja — disse Swanhild. — Não falhe comigo e não tema que eu falhe com você.

Koll, o Tolo, realizou sua missão e o tempo passou até faltar apenas um mês para o Yule. Os homens acolhiam-se uns aos outros em suas casas, pois naquela estação ficava muito escuro e caía muita neve. Com o tempo, veio a geada, e com ela um céu limpo, e Gudruda, olhando para fora, viu que a neve tinha ficado dura. Então, sobreveio-lhe um grande anseio de respirar o ar fresco, pois ainda havia uma hora de luz do dia. Ela se enrolou num manto e foi caminhar, percorrendo os caminhos da estrada que ia em direção a Coldback, no pântano que fica junto ao rio Ran. Swinhild observou-a até ela chegar à colina e, depois, ela também pegou um manto e seguiu por esse caminho, para observar Gudruda.

Gudruda caminhou por mais ou menos meia hora quando percebeu que as nuvens se acumulavam no céu e que o ar ficara pesado por causa da neve que estava por vir. Vendo isso, ela voltou para casa, e Swanhild se escondeu para deixá-la passar. Em seguida, grandes flocos macios flutuaram como flores no ar. Mais rápido e mais rápido eles caíram até que toda a planície havia se tornado um labirinto branco de névoa, mas através dela Gudruda continuava andando e logo atrás dela, rastejava Swanhild, como uma sombra. Dali em diante, a escuridão aumentava e a neve caia espessa e rápida, cobrindo o rastro de seus passos. Gudruda se afastou do caminho, e depois dela vagou Swanhild, relutante em se mostrar. Por uma hora ou mais Gudruda vagou, até que chamou em voz alta e sua voz se abafou pesadamente contra o manto de neve. Por fim, ela se cansou e ficou assustada, sentando-se em uma pedra lisa de onde a neve havia escorregado. Um pouco para trás havia outra pedra, e lá estava Swanhild, pois desejava não ser vista por Gudruda. Assim, algum tempo se passou, e Swanhild foi se sentindo pesada, como se estivesse dormindo. De repente uma coisa em movimento se aproximou na escuridão nevada, e Gudruda ficou de pé e perguntou quem estava lá. A voz de um homem respondeu:

— Quem vem lá?

— Eu, Gudruda, filha de Asmund.

A forma se aproximou, e agora Swanhild pode ouvir o relinchar de um cavalo, e um homem desmontou dele. Este homem era Eric Olhos Brilhantes.

— É você, Gudruda! — ele disse rindo, e sua grande forma apareceu escura na névoa.

— Ah, é você, Eric? — ela respondeu. — Nunca fiquei tão feliz em ver você, pois você veio em uma boa hora. Por pouco eu nunca mais veria você, pois meus olhos ficaram pesados com o sono da morte.

— Não, não diga isso. Você está perdida? Pois eu também estou. Saí em busca de três cavalos perdidos, e fui surpreendido pela neve. Que eles vão habitar os estábulos de Odin, pois eles levaram-me até você. Está com frio, Gudruda?

— Um pouco, Eric. Há um lugar para você aqui nessa pedra.

Então, Eric sentou-se junto dela na pedra, e Swanhild rastejou para mais perto, pois agora todo o cansaço a tinha deixado. Mas a neve continuava a cair grossa.

— Acho que nós dois vamos morrer aqui. — disse Gudruda.

— Acha que sim? — indagou ele. — Bem, então direi que não peço melhor fim.

— É um mau fim para você, Eric: ser sufocado na neve, e com tantas coisas para fazer da sua vida.

— É um bom fim morrer ao seu lado, Gudruda, pois assim morrerei feliz. Mas eu lamento por você.

— Não lamente por mim, Olhos Brilhantes, pois coisas piores podem acontecer.

Ele aproximou-se ainda mais, pôs os braços em volta dela e abraçou-a, estreitando-a em seu peito, sem que ela relutasse. Swanhild viu aquela cena e se levantou atrás deles, mas durante algum tempo, ela só ouviu o bater do seu próprio coração.

— Ouça, Gudruda — disse Eric —, a morte se aproxima de nós, e antes que ela chegue, eu lhe diria algumas coisas, se pudesse.

— Diga — sussurrou ela em seu peito.

— Eu diria que te amo e que não peço melhor destino do que morrer nos seus braços.

— Primeiro você me verá morrendo em seus braços, Eric.

— Saiba, então, que se assim for, não me demorarei por muito tempo, Gudruda. Desde criança te amo com um amor poderoso, e agora você é tudo para mim. Melhor morrer assim do que viver sem você. Enquanto há tempo, fale também.

— Não esconderei de você, Eric, que as suas palavras soam com doçura em meus ouvidos.

E, então, Gudruda começou a soluçar, e as lágrimas a caírem rapidamente dos seus olhos escuros.

— Não, não chore, Gudruda. Você me ama?

— Sim, claro que sim, Eric.

— Então me beije antes de morrermos. Um homem não deve morrer assim, e mesmo assim os homens morreram de piores formas.

E assim os dois beijaram-se, pela primeira vez, na neve em Coldback, e esse primeiro beijo foi longo e doce. Swanhild ouviu tudo e seu sangue borbulhou como a água que borbulha quando fogos ardem por baixo do solo. Ela pôs a mão em seu vestido e agarrou a faca ao seu lado, mas colocou-a de volta no lugar.

"O frio mata tão certo como o aço", disse ela para si mesma. "Se eu matar Gudruda, não posso salvar a mim ou a ele. Vamos morrer em paz, e deixemos que a neve cubra a nossa perturbação."

E mais uma vez ela ouviu.

— Ah, meu doce — disse Eric —, mesmo no meio da morte há esperança de vida. Jura-me, então, que, se por acaso vivermos, me amarás sempre como me amas agora.

— Eric, eu prontamente juro.

— E jura, aconteça o que acontecer, que você não vai se casar com outro homem senão comigo.

— Juro, se você se mantiver fiel a mim, que não me casarei com nenhum outro homem, Eric.

— Então estou certo do que você diz.

— Não se precipite, Eric: se você viver, terá de enfrentar o dia a dia, e com a rotina vêm as provações.

Então, a neve caiu mais depressa e mais espessa, até que estes dois, de coração a coração, eram apenas um montículo branco, e o cavalo também se tornara todo branco, e Swanhild estava quase enterrada.

— Para onde vamos quando morrermos, Eric? — perguntou Gudruda. — No salão de Odin não existe espaço para donzelas, como eu partirei sem você?

— Não, amor, Valhalla deverá fechar-me os portões, pois sou homem sem feitos. Assim, não posso atravessar a ponte do arco-íris, Bifrost, pois não morro empunhando a espada, com a armadura sobre o peito. A Hela iremos... E de mãos dadas.

— Você tem a certeza, Eric, de que os homens encontram tais moradas? Para dizer a verdade, às vezes duvido delas.

— Não tenho tanta certeza, pois também tenho minhas dúvidas. Ainda assim, sei o seguinte: que onde quer que você for, eu estarei, Gudruda.

— Então está tudo bem, com o bom desejo das Nornas. Ainda assim, Eric, de repente eu percebo, de olhos fechados, que não morrerei esta noite, mas morrerei com os teus braços ao meu redor, e ao teu lado. Olhe, ali, eu estou vendo na neve! Parece que quando me deito ao teu lado, dormindo, vejo as mãos estendidas e o sono caindo como um nevoeiro... Por Freya! É Swanhild! Oh, desapareceu!

— Não foi nada, Gudruda, só uma visão provocada pela neve. Um sonho prematuro que vem antes do sono. Estou ficando frio e meus olhos estão pesados, beije-me mais uma vez.

— Não foi um sonho, Eric, eu sempre duvidei de Swanhild, pois acho que ela também te ama e me tem como sua inimiga — disse Gudruda, pousando seus lábios gelados nos dele. — Eric, acorde! Acorde! Veja, a neve acabou.

Ele se ergueu tropegamente e olhou adiante. Eles olharam para o céu e viram as luzes da aurora boreal lançando luz sobre a escuridão.

— Agora parece que reconheço essa terra — disse Eric. — Olhe, ali estão as Cataratas Douradas, embora não as tenhamos ouvido por causa da neve. Ali, no mar, surgem as Westmans, e aquela coisa escura é o Templo Hof, e por trás dele está nosso destino. Estamos salvos, Gudruda, e até agora, de fato, estávamos condenados. Agora levante-se, antes que os seus membros endureçam, e eu te colocarei no cavalo, se ele ainda puder correr, e te conduzirei até Middalhof antes que as luzes da aurora boreal cessem.

— Que assim seja, Eric – concordou Gudruda com grande alívio.

Então, ele conduziu Gudruda até o cavalo que, vendo seu dono, bufou e sacudiu a neve de sua pelagem, pois não tinha congelado. Eric colocou Gudruda na sela e passou o braço em volta da cintura dela, e eles passaram lentamente pela neve profunda. Swanhild, também se esgueirou de seu lugar, pois sua raiva ardente a manteve viva, e os seguiu. Trôpega, muitas vezes ela caiu, e uma vez quase foi engolida por um monte de neve, e por isso, gritou de medo.

— Quem gritou? — perguntou Eric, virando-se. — Pensei ter ouvido uma voz.

— Não foi nada — Responde Gudruda. — Foi apenas o grito de algum falcão noturno.

Swanhild ficou quieta, ouvindo o casal. Mas em coração, dizia: “Um falcão noturno que vai arrancar esses seus olhos escuros, minha inimiga”.

Os dois continuaram e, por fim, chegaram à estrada que passa pelo Templo e leva até o salão de Asmund. Aqui, Swanhild os deixou e, escalando o muro de relva para o campo da casa, passou pelo corredor das dependências e assim chega ao extremo oeste da casa, onde entrou pela porta do salão sem ser notada. Todas as pessoas, vendo um cavalo vindo e uma mulher sentada nele, reuniram-se em frente ao salão. Mas Swanhild correu para a cama onde dormia e, fechando a cortina, tirou as roupas, sacudiu a neve dos cabelos e vestiu um vestido de linho. Então ela descansou um pouco, pois estava fatigada, e, indo para a cozinha, se aqueceu no fogo.

Eric e Gudruda foram à casa, e, lá, Asmund recebeu-os muito bem, já que estava perturbado por causa da sua filha e muito contente por saber que estava viva, visto que os homens tinham começado a procurá-la por causa da neve e da escuridão.

Então Gudruda contou sua história, porém, não inteiramente. Então alguém perguntou sobre Swanhild, e Eric respondeu que não a tinha visto, o que fez com que Asmund ficasse triste, pois ele também amava Swanhild. Mas quando ele pediu para que todos os homens saíssem para procurá-la, uma mulher disse que ela estava em sua cozinha, e, conforme a mulher falava, Swanhild entrou muito bela no salão, vestida de branco, pálida e com os olhos brilhantes.

— Onde você estava, Swanhild? — indagou Asmund. — Eu estava certo de que você estava perecendo na neve com Gudruda, e agora os homens foram à sua procura.

— Não, padrasto, eu estava no templo — mentiu ela. —Então Gudruda escapou por pouco da neve, graças à distância que Olhos Brilhantes estava! Certamente estou feliz com isso, ainda bem que nossa doce irmã foi poupada — e aproximando-se dela, Swanhild beijou Gudruda. Mas Gudruda viu que seus olhos queimavam como o fogo e seus lábios eram frios como o gelo. Gudruda sentiu um calafrio e se questionou sobre o que tinha sentido.

Banquete de Yule de Asmund

Agora era hora do jantar e os homens estavam sentados à mesa enquanto as mulheres os serviam. Mas enquanto ia e vinha, Gudruda não tirava os olhos de Eric, e Swanhild observava os dois. Terminada a ceia, as pessoas se reuniram ao redor da lareira e, tendo terminado seu serviço, Gudruda veio e sentou-se ao lado de Eric, para que seu braço tocasse o dele. Eles não falaram nenhuma palavra, mas ali se sentaram e se sentiram felizes. Swanhild reparou nisso e mordeu os lábios de raiva. Ela estava sentada ao lado de Asmund e de Björn, seu filho.

— Olhe, padrasto! — disse ela. — Ali está um lindo casal!

— Isso não pode ser negado — respondeu Asmund. — Será preciso procurar por muitos dias para que se encontre outro homem como Eric Olhos Brilhantes e nenhuma donzela como Gudruda floresce entre Middalhof e a cidade de Londres, a não ser por você, Swanhild. Assim sua mãe disse que deveria ser, e sem dúvida ela estava certa antes de morrer.

— Não, não me compare com Gudruda, padrasto. Eu sou apenas um ganso cinzento no meio dos cisnes branco. Mas eles formarão um belo casal, e ela será um bom partido para Eric.

— Não deixe a tua língua falar tão depressa — disse Asmund firmemente. Quem disse que Eric deveria ter Gudruda?

— Ninguém me disse, mas na verdade, tendo olhos e ouvidos, estou certa disso — disse Swanhild. — Olhe para eles agora: certamente os amantes expressam as mesmas feições.

Gudruda descansava o queixo na mão e olhava para os olhos de Eric por trás do cabelo.

— Penso que a minha irmã vai se inferiorizar ao se casar com um simples lavrador, embora ele valha por dois homens — disse Björn com uma careta. Björn tinha ciúmes da força e beleza de Eric e não gostava dele.

— Não confie no que vê e menos ainda no que você ouve, menina —disse Asmund, externalizando seu pensamento. — Assim serão bons os seus palpites. Eric, venha aqui e nos conte sobre como encontrou Gudruda perdida na neve.

Eric foi até Asmund e contou a história, mas não toda, pois ele pretendia pedir Gudruda em casamento no dia seguinte. Seu coração não profetizava sorte, e por isso preferiu esperar.

— Você me prestou um grande serviço — reconheceu Asmund friamente, perscrutando o rosto de Eric com seus olhos azuis. — Teria sido triste se a minha bela filha tivesse perecido na neve. Pois irei recompensá-lo. Pegue este presente em reconhecimento pelo que você fez, e o marido de Gudruda, quando ela se casar com um homem rico, como deverá ser, também lhe recompensará — disse tirando do dedo um pesado anel de ouro.

Uma skjaldmö morre em luta contra os hunos, do pintor norueguês Nicolai Arbo Hervors (1831 -1892)

Os joelhos de Eric tremeram quando ele ouviu o que foi dito, e o seu coração acelerou como se estivesse com medo. Mas ele respondeu de forma clara e direta:

— Agradeço sua intenção , mas peço que conserve o anel, pois não fiz nada para ganhá-lo, embora talvez chegue o momento em que pedirei ao senhor algo ainda mais valioso.

— Os meus presentes nunca foram recusados antes. — Disse Asmund, cada vez mais zangado.

— Este agricultor pensa ser rico, mas seu ouro tem pouco valor. É uma tolice levar o peixe para o mar, meu pai — desdenhou Björn.

— Não, Björn, não é assim — respondeu Eric —, mas, como você disse, sou apenas um agricultor, e desde que o meu pai, Thorgrimur Pé-de-Ferro morreu, as coisas não correram muito bem no rio Ran. Mas pelo menos sou um homem livre e não aceitarei nenhum presente pelo qual não possa retribuir. Por conseguinte, não terei o anel.

— Como quiser — disse Asmund. — O orgulho é um bom cavalo se for cavalgado com sabedoria — afirmou colocando o anel de volta no dedo.

Então as pessoas foram descansar, mas Swanhild procurou sua mãe para contar sobre o que aconteceu, e Groa a ouviu com atenção.

— Agora pensarei num plano — disse ela —, pois esses eventos têm sido propícios e Asmund está com um humor inquieto. Eric não virá mais a Middalhof até que Gudruda vá embora, levada por Ospakar Dente Negro.

— Mas se Eric não vier aqui, como o verei? Mãe, anseio por vê-lo.

— Esse assunto é problema seu, tola apaixonada. Saiba disso: se Eric vem aqui e fala com Gudruda, é o fim de suas esperanças, pois, embora você seja bela, ela ainda é mais bela que você, e ainda que você seja forte, de certo modo ela é demasiada forte. Você ouviu sobre como eles se amam, e tal amor zomba da vontade dos pais. Eric realizará seu desejo ou morrerá sob as espadas de Asmund e Björn, se tais homens puderem prevalecer contra a sua força. Ainda assim, o lobo Eric tem de ser cercado pelos cordeiros até ficar com fome. Então, atraia-o e livre-se dele.

— Que assim seja, mãe. Enquanto eu estava agachada atrás de Gudruda na neve, metade de meus pensamentos eram sobre acabar com as suas palavras de amor com esta faca, e assim sei agora que deveria ter feito isso para me libertar.

— Sim, e seja rápida no Cromeleque do Destino em sua aventura arriscada. Os deuses ajudarão Eric. Escolha o seu tempo e, se tiveres de atacar, ataque em segredo e com segurança. Lembre-se também de que a astúcia é mais poderosa do que a força, que a mentira perfura mais do que as espadas e que a bruxaria vence onde a honestidade falha. Agora irei até Asmund, e, antes que amanhã chegue, ele ficará furioso.

Então Groa se dirigiu ao aposento onde Asmund, dormia. Ele estava sentado na cama e quis saber o motivo de ela ter vindo.

— Por amor a você, Asmund, e à tua casa. Ainda que me trate mal, você lucrou muito comigo e com a minha habilidade de previsões. Mas diga-me agora: você quer mesmo que sua filha, Gudruda, a Justa, seja a Luz de Maio deste agricultor de pernas compridas?

— Isso não passa pela minha cabeça — respondeu Asmund, cofiando a barba.

— Saiba você, então, que hoje mesmo sua bela Gudruda sentou-se, quando estava perdida na neve, no colo de Eric, enquanto ele a acariciava e revelava o sentimento que habita de seu coração.

— Provavelmente ela se sentou no colo dele para obter calor. As pessoas não sonham com o amor na hora da morte. Quem viu isso?

— Swanhild, que estava atrás deles e se escondeu de vergonha. Por isso ela considerou que esses dois deveriam se casar em breve! Ah, como você parece tolo agora, Asmund. O sangue jovem ilumina o frio ou a morte. Você é cego, ou não vê que esses dois se voltam um para o outro como pássaros?

— Eles podem fazer pior — disse Asmund —, porque formam um par adequado e me parece que nasceram um para o outro.

— Então tudo bem. Ainda assim, é uma pena ver uma donzela tão bela lançada como isca podre nas águas para fisgar essa truta que é um lavrador. Você tem inimigos, Asmund, e é muito próspero. Há muitos que te odeiam por suas terras e riquezas. Não seria sábio usar esta sua menina para construir um muro ao seu redor para quando vierem os maus tempos?

— Estou mais acostumado, governanta, a confiar em meu próprio escudo do que em amigos comprados. Mas diga-me, pois você está enxergando longe, como isso pode ser feito? Do jeito que as coisas estão, embora eu tenha falado rudemente com ele ontem à noite, estou inclinado a deixar Eric Olhos Brilhantes levar Gudruda. Eu sempre amei o rapaz, e ele vai longe.

— Ouça, Asmund! Certamente você já ouviu falar de Ospakar Dente Negro, o sacerdote que mora no Norte, não é?

— Eu ouvi falar dele, e conheço-o. Não existe homem com ele em feiura, força, ou em riqueza e poder. Nós navegamos juntos numa embarcação viking há muitos anos, e ele fez coisas que fizeram com que eu o visse de outra forma.

— Com o tempo, os homens mudam seu temperamento. Se não estiver enganada, Ospakar deseja casar-se Gudruna acima de tudo, pois, agora que ele tem tudo, resta apenas isso para ele possuir: mulher mais bela da Islândia como esposa. Pense então em Ospakar como genro, quem é que pode se opor a você?

— Não tenho tanta certeza desse assunto, nem confio totalmente em você, Groa. Na verdade, me parece que você tem algum interesse nisso. Esse Ospakar é mau e hediondo. Seria uma pena entregar Gudruda a ele quando ela tem olhos para outro. Você sabe que jurei amar e celebrá-la, e como isso se encaixa com meu juramento? Se Eric não é muito rico, ainda assim ele é de boa origem e, além disso, é um grande homem entre os homens. Se ele tiver Gudruda, o bem resultará disso.

— É típico de você, Asmund, sempre desconfiar daqueles que passam seus dias trabalhando para o seu bem. Faça o que quiser: deixe Eric pegar este seu tesouro, por quem os condes dariam suas terras, e viva para lamentar sua escolha. Mas eu lhe digo: se ele tiver sua permissão para vagar aqui com sua pomba, a coisa logo aumentará, pois esses dois adoecem um ao outro, e o sangue jovem está quente e doente à espera, e nem sempre é tempo de neve. Portanto, dê Gudruda como noiva ou deixe-a ir. É assim que penso.

— Tua língua corre muito rápido. O homem não está aprovado, então vou experimentá-lo. Amanhã, de minha porta vou avisá-lo, e então as coisas irão ser da forma como estão fadadas. E agora quero paz, pois estou cansado de sua conversa que, além disso, é falsa, pois te falta uma coisa: um pouco de honestidade para temperar todos os seus atos. Quanto Ospakar pagou a você, eu me pergunto. Você certamente menos nunca recusaria o anel de ouro que quis dar a Eric esta noite, pois faria tudo por ouro.

— E mais por amor e, acima de tudo, por ódio — disse Groa e riu alto. E naquela noite, não se tocou mais no assunto.

De manhã cedo, Asmund levantou-se e, indo para a sala, acordou Eric, que dormia junto à lareira central, dizendo que falaria com ele lá fora. Então Eric o seguiu até o fundo do corredor.

— Diga-me, Eric — ele disse na penumbra que havia fora da casa —, quem foi que ensinou a você que os beijos evitam o frio em dias de neve?

Eric corou até a raiz de seus cabelos louros, mas respondeu:

— Quem disse, senhor, que eu experimentei esse remédio?

— A neve esconde muito, mas há olhos que podem perfurar a neve. Sem mais delongas, você foi visto, mas é preciso encerrar isso. Saiba que eu gosto muito de você, mas Gudruda não é para o seu tipo de pessoa, pois ela está muito acima de você, que é apenas um lavrador sem feitos de glória.

— Então eu a amarei sempre — disse Eric. — Eu anseio por apenas uma coisa e é Gudruda. Estava em minha mente pedi-la em casamento hoje.

— Então, rapaz, você tem sua resposta antes de perguntar. Tenha certeza de uma coisa: se mais uma vez eu encontrar você sozinho com Gudruda, é meu machado que te beijará e não os lábios dela.

— Isso ainda pode ser provado, senhor — disse Eric, virando-se para procurar seu cavalo, quando de repente Gudruda apareceu e ficou entre eles. Seu coração deu um salto ao vê-la.

— Escute, Gudruda — Eric disse —, essa é a palavra de seu pai: que nós não devemos mais ficar juntos.

— Então é uma má palavra para nós — afirmou Gudruda, colocando a mão sobre o peito.

— Sejam palavras de bem ou mal, com certeza é esta, menina — retrucou Asmund — Eric não mais te beijará, seja na neve ou nas flores.

— Agora pareço ouvir a voz de Swanhild — disse Gudruda. — Bem, essas coisas aconteceram com pessoas melhores, e o desejo de um pai para uma donzela é o mesmo que o vento é para a grama. O sol ainda está atrás da nuvem e brilhará novamente algum dia. Até lá, Eric, passe bem!

— Não é de sua vontade, senhor — disse Eric —, que eu venha ao seu banquete de Yule como me pediste há dez anos?

Asmund ficou furioso e apontou com a mão para as grandes Cataratas Douradas que trovejam pela montanha chamada Stonefell, que fica atrás de Middalhof, e não há cachoeiras maiores na Islândia.

— Um homem pode caminhar por duas estradas, Eric: de Coldback a Middalhof, há uma trilha sobre Coldback, e outra descendo as Cataratas Douradas, mas nunca soube de um viajante que escolhesse esse caminho. Agora, eu convido você para o meu banquete vindo pelo caminho das Cataratas Douradas, e, se você for por lá, lhe prometo que se estiver vivo, receberei você muito bem, e se encontrar você morto no grande lago, amarrarei os seus e o colocarei na terra como bom vizinho. Mas se você vier por qualquer outro caminho, então meus servos não permitirão que você entre pela minha porta — disse cofiando a barba e riu.

Asmund falou de forma zombeteira porque não achava possível que qualquer homem tentasse o caminho das Cataratas Douradas. Mas Eric sorriu e disse:

— Confio em sua palavra, senhor, e talvez eu seja seu convidado no Yule.

Mas Gudruda ouviu o trovão das poderosas cataratas enquanto o vento soprava, e gritou:

— Não, não, não — isso seria a sua morte!

Mas Eric apenas monta o seu cavalo e cavalga através da neve.

Agora deve-se contar sobre Koll, o Tolo, que foi até Swinefell, no Norte, tendo viajado muito através da neve. Lá Ospakar Dente Negro tinha o seu grande salão no qual dia após dia uma centena de homens se sentavam para banquetear. Koll entrou no salão quando Ospakar estava a jantar e olhou para ele com olhos de admiração, pois nunca tinha visto um homem tão maravilhoso. Ele era enorme em estatura, seu cabelo e a sua barba eram negros e no seu lábio inferior despontava um grande canino preto. Os seus olhos eram pequenos e estreitos, mas as suas maçãs do rosto eram afastadas e altas, como as de um cavalo. Pareceu a Koll que Ospakar devia ser um homem difícil de se lidar. Por isso, temeu dar sua mensagem, uma vez que a linhagem mestiça de Koll lhe proporcionava muita astúcia. Por isso se enrolou no seu manto, escondendo o rosto. Mas quando Ospakar se sentou no seu lugar mais alto, à mesa, vestido com um manto púrpura, com a sua espada Fogo Branco repousando sobre o joelho, viu Koll, e gritou com voz potente:

— Quem é essa raposa vermelha que rasteja pelas minhas terras?

Olhando bem, Koll era muito parecido com uma raposa.

— Meu nome é Koll, o Tolo, e sou servo de Groa, senhor. Sou bem-vindo aqui? — respondeu ele.

— Talvez possa ser. Por que o chamam de tolo?

— Porque não gosto de trabalhar muito, senhor.

— Então todos os meus escravos são seus companheiros. Diga, o que traz você aqui?

— Sim, senhor. Foi dito entre os homens do sul que o senhor daria uma boa recompensa para aquele que descobrisse a mais bela donzela da Islândia. Então pedi licença à minha senhora para viajar até aqui e contar sobre ela ao senhor.

— Então uma mentira lhe foi contada. Ainda assim, adoro ouvir falar de donzelas belas e procuro uma para esposa caso ela seja bela o suficiente. Então fale, Koll, a Raposa, e já aviso, não minta para mim, senão eu vou arrancar o que resta de juízo nessa sua cabeça vermelha.

Então Koll elogiou muito a beleza de Gudruda, mas nem em verdade, apesar de toda a sua conversa, ele poderia elogiá-la mais. Ele falou de seus olhos escuros e da brancura de sua pele, da nobreza de sua forma, do ouro de seus cabelos, de sua inteligência e gentileza, até que por fim Ospakar se inflamou ao imaginar aquela flor entre as donzelas.

— Por Thor, Koll! — exclamou ele — se a menina for apenas metade do que você diz, sua sorte é boa, pois ela será esposa de Ospakar. Mas se você tiver mentido sobre ela, cuidado, pois em breve haverá um patife a menos na Islândia.

Então um homem se levantou no salão e disse que Koll falava a verdade, pois havia visto Gudruda, a Bela, filha de Asmund, e não havia donzela como ela na Islândia.

— Farei isso agora — disse Dente Negro. — Amanhã enviarei um mensageiro a Middalhof, dizendo a Asmund, o Sacerdote, que pretendo visitá-lo na época da festa de Yule, e assim, verei se a garota me agrada. Enquanto isso, Koll, vá sentar-se entre os escravos, mas aqui está algo por seus esforços — e ele tirou o manto roxo e o jogou para Koll.

— Dou graças a você, Doador de Ouro — agradeceu Koll. — Mas é prudente ir logo para Middalhof, pois uma flor como essa donzela não carece de uma abelha. Há um jovem no sul chamado Eric Olhos Brilhantes que ama Gudruda, e ela, eu acho, o ama também, embora ele seja apenas um fazendeiro de pouca fortuna e tenha apenas 25 anos.

— Há, há! — riu o grande Ospakar. — E eu tenho 45. Mas não deixemos que essa competição atrapalhe meu desejo, para que os homens não tenham que chamá-lo de Eric Olhos Furados.

Então, o mensageiro de Ospakar foi a Middalhof, e suas palavras agradaram Asmund, que preparou um grande banquete. Swanhild sorriu, mas Gudruda ficou com medo.

Como Eric desceu a Cascata Dourada

Ospakar cavalgou até Middalhof na véspera da festa de Yule. Estava esplendidamente vestido e com ele vieram seus dois filhos,

Gizur, o Homem-da-Lei, e Mord, um jovem promissor, e muitos servos armados. Gudruda, espiando da porta do recinto das mulheres, viu seu rosto ao luar e o detestou.

— O que você acha desse homem que veio te buscar para esposa, irmã adotiva? — perguntou Swanhild, observando-a ao seu lado.

— Penso que ele se parece com um troll e que, procurando, não me encontrará. Preferia deitar-me na lagoa abaixo da Cascata Dourada do que no salão de Ospakar.

— Isso deverá ser provado — disse Swanhild. — Pelo menos ele é rico e nobre... e o maior dos homens em tamanho. Seria difícil para Eric se esses braços caíssem sobre ele.

— Não tenho tanta certeza disso — disse Gudruda —, mas não é provável que aconteça.

—Eric virá ao banquete pela Cascata Dourada, Gudruda?

— Não, nenhum homem é capaz de trilhar esse caminho e sobreviver.

— Então ele morrerá, pois Eric arriscará.

Gudruda pensou, e um grande fogo queimou em seu coração e brilhou em seus olhos.

— Se Eric morrer — ela disse —, você será respingada com seu sangue, Swanhild, você e aquela sua mãe sombria, pois vocês planejaram trazer este mal sobre nós. De que modo te prejudiquei para que me tratasse assim?

Swanhild ficou pálida e sua aparência tornou-se perversa, pois a paixão a dominava. Ela olhou para o rosto de Gudruda e respondeu:

— Como você me prejudicou? Certamente te direi: sua beleza me roubou o amor de Eric.

— Seria melhor tagarelar sobre o amor de Eric caso ele tivesse contado a você, Swanhild.

— Você me roubou e por isso eu te odeio. Por isso te entregarei a Ospakar, a quem você odeia. Assim terei Eric Olhos Brilhantes para mim. Não sou eu também bela e não posso eu também amar? Devo ficar vendo você roubar a minha alegria? Pelos deuses, nunca! Prefiro te ver morta, e Eric com você! Antes, que assim seja! Mas primeiramente, te verei passando vergonha.

— Suas palavras não cabem nos lábios de uma donzela, Swanhild! Mas deste mal sofre apenas você, disso eu nunca temerei. E uma coisa sei bem: que, seja você ou eu a prevalecer, no final, quem sofrerá a maior vergonha é você, pois no futuro os homens falarão de ti com ódio e te chamarão de nomes malignos. Além disso, Eric nunca te amará, pois ano após ano ele te odiará com um ódio cada vez mais profundo, embora possa muito bem ser que isso o arruíne. Mas agradeço por ter me dito o que se passa em sua mente, porque agora sei o que você realmente é! — E Gudruda, desdenhando Swanhild, foi-se embora.

Asmund, o Sacerdote, saiu para o pátio e se encontrou com Ospakar Dente Negro. Saudou-o cordialmente, embora não gostasse da sua aparência, e conduziu o homem ao salão ricamente decorado com tapeçarias, sentando-o ao seu lado no lugar mais nobre. Os servos de Ospakar trouxeram presentes belos e valiosos para Asmund, que agradeceu de bom grado ao doador.

Na hora do jantar, Gudruda entrou no salão, depois de ter passado por Swanhild. Ospakar olhou fixamente para Gudruda e um grande desejo de torná-la sua esposa tomou conta dele. Mas ela passou por ele com grande frieza e indiferença, mal olhando para seu pretendente.

— Esta é, então, aquela dama de quem ouvi falar, Asmund? Devo dizer que nunca nasceu mulher mais bela que ela.

Então os homens comeram e Ospakar bebeu muita cerveja, olhando todo o tempo fixamente para Gudruda, ouvindo a sua voz. Até então nada havia sido dito sobre o motivo da sua visita, embora todos soubessem sua intenção. E os seus dois filhos, Gizur e Mord, também olharam fixamente para Gudruda, pois acharam-na maravilhosamente bela. Gizur, porém, também achou Swanhild bela.

E assim a noite continuou até que chegou a hora em que os convidados se recolheram.

Nesse mesmo dia, Eric subiu da sua terra pelo rio Ran e tomou a estrada ao longo do cume de Coldback até chegar a Stonefell. Entre Coldback e Stonefell, existe um penhasco íngreme virado para o sul, que fica cada vez mais alto até chegar ao ponto em que o rio Dourado despenca dele. Abaixo, suas águas separam-se, correndo para leste e oeste. O ramo a leste é chamado rio Ran e a Oeste é chamado Laxà, e estes dois riachos correm à volta da rica planície de Middalhof, até chegarem ao mar. Mas no meio do rio Dourado, na beira do penhasco, uma massa de rochas que se projetam para o alto, chamada pelo povo de Sela de Ovelha, divide as águas do outono. A água respinga sobre as rochas e, no inverno, o gelo se acumula, mas o rio não o cobre.

A grande queda tem trinta braças de profundidade, e tem a forma de uma ferradura, a partir de onde as águas correm em direção a Middalhof. No entanto, se conseguisse apenas ganhar a rocha da Sela de Ovelha que divide o meio das águas, um homem forte e robusto poderia descer cerca de quinze braças desta profundidade e quase não molhar os pés.

Aos pés da rocha da Sela de Ovelha, arcos duplos de águas se encontravam e caiam em um lago sem fundo abaixo. Mas, a cerca de três braças deste ponto de encontro das águas e abaixo dele, exatamente onde a curva é mais profunda, uma única rocha, do tamanho de uma mesa de jantar e não maior, projeta-se através da espuma e, se um homem pudesse alcançá-la, poderia saltar dela cerca de doze braças direto para o poço escondido abaixo, para afundar ou nadar como fosse possível de ser feito. Este penhasco é chamado de Presa do Lobo.

Eric permaneceu muito tempo à beira da queda e observou, medindo tudo apenas a olho. Depois subiu acima da queda, onde o rio converge até ao precipício, e olhou novamente, pois é a partir desta margem que se deve alcançar a rocha da Sela de Ovelha.

"Um homem dificilmente conseguiria fazer isto, mas ainda assim vou tentar", disse ele a si mesmo. "Conquistarei grande honra por esse feito, caso eu consiga viver. Se eu morrer... bem, haverá um fim das minhas perturbações sobre donzelas e todas as outras coisas."

Então ele voltou para sua casa e sentou-se em silêncio naquela noite. Desde a morte de Thorgrimur Pé-de-Ferro, o dono daquela casa, Saevuna, a mãe de Eric, tinha ficado cega, e, embora ela tivesse tentado observar novamente em seu lugar ao lado da lareira, não conseguia ver o rosto do seu filho.

— O que te perturba, Eric, a ponto de estar tão silencioso? A carne do jantar não estava boa para você?

— Sim, mãe, a carne estava muito boa, ainda que um pouco mal passada.

— Agora vejo que não está sendo você mesmo, filho, pois não tinha carne, mas apenas peixe, e eu nunca conheci um homem que se esquecesse do que comeu no jantar na mesma noite em que comeu, exceto quem está desesperado ou profundamente apaixonado.

— Eu estava assim? — perguntou Olhos Brilhantes

— O que te preocupa, Eric? Aquela doce donzela?

— De alguma forma, mãe.

— O que mais, então?

— Amanhã eu terei que descer a Cataratas Douradas e não sei como posso passar da rocha da Sela de Ovelha para o penhasco da Presa do Lobo e ainda assim continuar vivo. Agora eu lhe peço, não me canse com palavras, pois o meu cérebro é lento, e precisarei usá-lo.

Quando Saevuna ouviu isso, gritou em voz alta e se jogou diante de Eric, rezando para que ele desistisse de sua louca aventura. No entanto, ele não quis ouvi-la, pois demorou para tomar essa decisão, mas agora que tinha se convencido de realizar essa aventura, nada poderia fazê-lo mudar de ideia. Então, quando a mãe soube que ele pretendia jogar sua vida fora para ver Gudruda, ela ficou muito zangada e amaldiçoou a ela e a toda a sua linhagem.

— É bastante provável que você tenha motivos para usar tais palavras antes que toda essa história termine — disse Eric. — No entanto, mãe, não amaldiçoe Gudruda, que não é culpada pelo que está acontecendo.

— Você é um filho infiel — disse Saevuna —, que se matará, que busca vencer essa discussão por sua donzela e que deixará sua mãe sem filhos.

Eric disse que era o que parecia ser, mas ele tinha sido ofendido e essa aventura deveria ser tentada. Então ele beijou sua mãe, e ela saiu tateando à procura da sua cama, chorando.

Então chegou o dia do banquete de Yule, e não havia sol até uma hora antes do meio-dia. Mas Eric, tendo beijado a sua mãe e despedindo-se dela, chamou um servo, Jon, era seu nome, e deu-lhe uma bolsa de pele de foca cheia de suas melhores roupas, e mandou-o cavalgar até Middalhof e dizer a Asmund, o Sacerdote, que Eric Olhos Brilhantes desceria a Cascata Dourada uma hora depois do meio-dia para ir à sua festa. Ele pediu para que Asmund fosse ao pé da Cascata Dourada para o esperar lá. E o homem foi, mas foi se perguntando se seu mestre estava louco.

Então Eric pegou uma boa corda, e um bastão com ponte de ferro e, assim que a luz surgiu, montou em seu cavalo, cruzou o rio Ran e cavalgou ao longo de Coldback até chegar à beira da Cascata Dourada. Aqui, ficou algum tempo até que viu muitas pessoas a correrem pela neve de Middalhof, muito abaixo. Entre elas, distinguiu duas mulheres que pela estatura deveriam ser Gudruda e Swanhild. Perto delas, havia um grande homem que ele não conhecia. Então ele apareceu em um espaço à beira do abismo e virou o seu cavalo para percorrer rio acima. O sol brilhava no horizonte, mas a geada era fria como uma espada. Ainda assim, ele deveria despir as suas vestes pesadas para que nada o atrapalhasse, ficando apenas com seus sapatos de pele de carneiro, camisa e calça, além de água para beber. Naquele ponto, o rio corria poderosamente, e ele tinha de atravessar trinta braças nas águas que corriam com violência até alcançar a pedra da Sela de Ovelha. Se ele escorregasse nas rochas, certamente seria varrido pela correnteza.

Eric apoiou o cajado contra o fundo pedregoso e, largando seu peso sobre ele, percorreu a distância. Ele era tão forte que a rapidez das águas não o deteve. Finalmente, quando estava um pouco além da metade do caminho, e a água chegou acima de seus ombros e, em seguida, de sua cabeça. Assim, ele perdeu pé e, largando o cajado, ele nadou para salvar sua vida e o fez com braçadas tão poderosas que ele sentiu pouco frio. Ele foi arrastado, e agora a borda da queda estava a apenas três braças de distância à sua esquerda, e a água branca já fervia abaixo dele. A uma braça dele estava a beira da Sela de Ovelha. Se ele puder alcançá-lo, tudo estaria bem, mas, se não, ele morreria.

Três grandes braçadas e ele a alcançou. Seus pés foram levados até a beira da queda, porém ele se agarrou com força e, com o poder de seus braços, puxou-se para cima da rocha e descansou um pouco. Logo ele se levantou, pois o frio começou a torturá-lo, e as pessoas abaixo perceberam que ele havia nadado no rio acima da cachoeira e gritaram de júbilo, pois o que havia feito era grande. Agora Eric deveria começar a descer da pedra da Sela de Ovelha, e isso não seria uma tarefa fácil, pois a rocha era quase lisa e escorregadia por conta do gelo acumulado, e de ambos os lados as águas corriam e trovejavam, jogando seus jatos ofuscantes sobre Eric enquanto saltavam para as profundezas abaixo. Ele olhou para baixo, estudando a rocha e, então, sentindo que estava com medo, pôs fim à dúvida e, agarrando-se a um ponto com as duas mãos, desceu um pouco de onde estava. Muitos minutos foram necessários para que ele descesse da Sela de Ovelha, e a tarefa foi muito difícil, pois ele estava perplexo com o estrondo das águas que jorravam de ambos os lados como o arco de uma besta, e a rocha era muito íngreme e escorregadia. Ainda assim, ele desceu todas aquelas quinze braças e não caiu, embora por duas vezes tenha ficado muito perto de cair. Abaixo, os observadores abaixo ficaram maravilhados com a coragem do jovem Eric.

— Ele será despedaçado onde as águas se encontram — disse Ospakar. — Não será possível atravessar o penhasco da Presa do Lobo, pois se ele chegar até lá e pular nas águas, o peso da água o levará ao fundo e o afogará.

— Certamente — disse Asmund —, e isso me entristece muito, pois foi minha brincadeira que o levou a esta perigosa aventura, e não podemos perder um homem como Eric Olhos Brilhantes.

Swanhild ficou branca como a morte, mas Gudruda disse:

— Se um grande coração, força e habilidade forem de fato úteis, então Eric descerá em segurança.

— Sua tola! — sussurrou Swanhild em seu ouvido — Como isso poderia ajudá-lo? Nem mesmo um troll poderia sobreviver àquele caldeirão. Eric está morto e você é a isca que o atraiu para a morte!

— Poupe suas palavras — respondeu Gudruda. — As coisas serão como as Nornas ordenaram.

Agora Eric estava ao pé da pedra da Sela de Ovelha e a um braço de distância de onde as águas poderosas se encontravam, agitando suas ondas douradas e fervendo furiosamente enquanto corriam para o abismo escondido pela névoa abaixo. Ele se inclinou e olhou através da névoa. Três braças abaixo dele, a rocha Presa do Lobo dividia as águas e, dali, se ele pudesse chegar até lá, poderia pular direto no lago que se formava abaixo. Assim, ele desenrolou a corda que estava em torno de seu peito e prendeu uma ponta a uma lasca de pedra - e isso foi uma tarefa árdua, pois suas mãos estavam duras com o frio - e a outra ponta ele passou por seu cinto de couro. Então Eric olhou novamente, e seu coração afundou dentro dele. Como ele poderia se entregar a essa torrente de água borbulhante e não ser despedaçado? Mas quando ele olhou, eis que um arco-íris surgiu sobre a face da água, e uma ponta dele iluminou-se, e a outra, como uma glória dos Deuses, caiu sobre Gudruda enquanto ela estava um pouco afastada, observando aos pés das Cataratas Douradas.

— Veja! — exclamou Asmund para Groa, que estava ao seu lado. — Os deuses constroem sua ponte Bifrost entre esses dois. Quem agora os manterá separados?

— Leia o presságio assim dessa forma — respondeu a feiticeira — eles estarão unidos, mas não aqui. Yon é uma ponte do Espírito, e veja: as águas da morte espumam e caem entre elas!

Eric também viu o presságio e aquilo pareceu-lhe um bom augúrio, e todo o medo que sentia foi embora de seu coração. Ao seu redor as águas trovejavam, mas em meio ao seu rugido, ele sonhou que ouvia uma voz chamando:

— Tenha bom ânimo, Eric Olhos Brilhantes, pois você viverá para fazer feitos ainda mais poderosos do que este e, como recompensa, Gudruda será sua.

Então ele não parou mais. Encurtando a corda, puxou-a com toda a força e depois saltou sobre o arco das águas. A água o atingiu, e ele foi arremessado contra uma pedra e novamente ele caiu e, de novo, foi arremessado, de modo que seu cinto estourou. Eric sentiu seu cinto ir e agarrou-se desesperadamente à corda, e eis que com o balanço para dentro, ele caiu sobre a Presa do Lobo, onde nenhum outro homem esteve antes e aonde nenhum homem irá novamente. Eric ficou um tempo deitado na rocha até que sua respiração voltasse ao ritmo e, então, tornou a ouvir o rugido das águas. Erguendo-se cuidadosamente com auxílio das mãos e dos joelhos, arrastando-se até a beira, pois mal conseguia ficar de pé por causa do tremor da pedra sob o choque da queda. Quando as pessoas abaixo viram que ele não estava morto, deram um grande grito, e o som de suas vozes chegou até ele através do estrondo das águas.

Agora, doze braças abaixo, estava a superfície do lago, mas ele não podia vê-lo por causa da névoa. Mesmo assim, ele deveria saltar rapidamente, pois o frio o estava afetando. Então, de repente, Eric levantou-se em toda a sua altura e, com um grito alto deu um salto poderoso da ponta da pedra da Presa do Lobo no ar, para além do alcance da torrente que caía, e caiu de cabeça nas águas abaixo. Todos os que assistiam prenderam a respiração enquanto seu corpo caía. Tão alto era aquele lugar de onde ele saltara que, através da névoa, Eric parecia apenas uma grande pedra branca arremessada pela face da cascata.

Ele se foi, e os observadores correram para a beira do lago, pois, se ele sobrevivesse, seria onde sairia. Swanhild não pôde mais olhar, pois havia caído sentada no chão. O rosto de Gudruda estava duro como uma pedra, mas repleto de dúvida e de angústia. Ospakar viu e leu o significado daquele evento, dizendo a si mesmo:

— Agora Odin conceda que este jovem não ressuscite novamente, pois a donzela o ama muito, e ele é um grande homem para ser desconsiderado.

Eric atingiu o lago. Ele afundou, afundou e afundou, pois a água que caia de tão alto o empurraram quase até chegar ao fundo do lago, antes que subisse novamente — e com o movimento da água, Eric. Ele tocou o fundo, mas muito suavemente, e lentamente começou a subir e, enquanto subia, foi levado pela corrente. Mas demorou muito para que ele pudesse respirar e parecia-lhe que seus pulmões iriam estourar. Ainda assim, ele lutou para emergir, dando grandes braçadas e movimentando as pernas.

— Adeus, Eric, — disse Asmund — ele não ressurgirá mais.

Mas assim que ele falou, Gudruda apontou para algo que brilhava, branco e dourado, sob a superfície da corrente. Veja! O cabelo brilhante de Eric ergueu-se da água, e ele respirou fundo, balançando a cabeça como uma foca e, embora debilmente, nadou para a parte rasa na beira do lago. Então ele ficou de pé e buscou se equilibrar na torrente, mas foi derrubado pela forte correnteza, cortando sua testa. Esse corte formou uma cicatriz que ele carregou até sua morte. Mais uma vez ele se levantou, e com pressa chegou à margem sem ajuda, caindo sobre a neve.

As pessoas se reuniram em torno dele em silêncio, impressionados, pois ninguém havia testemunhado um feito tão grande. Quando Eric abriu os olhos e olhou para cima, encontrou os olhos de Gudruda fixos nos dele, e havia algo neles que os deixaram feliz por ter ousado o caminho da Cascata Dourada.

Como Eric conquistou a Espada Fogo Branco

Asmund, o Sacerdote, abaixou-se, e Eric o viu e falou:

— O senhor me convidou para seu banquete de Yule, se eu viesse aquele caminho escorregadio que eu vim. O senhor me bem-receberá?

— Nenhum homem é mais digno disto — respondeu Asmund. — Você é um homem galante, embora imprudente, e seu feito será contado enquanto os skalds cantarem e os homens viverem na Islândia.

— Abra espaço, meu pai — disse Gudruda —, pois Eric sangra.

Ela tirou o lenço de seu pescoço e amarrou-o sobre a testa ferida de Eric e, tirando o manto de pele de seu corpo, colocou-o em seus ombros, e nenhum homem a impediu.

Então, levaram-no para o salão, onde Eric se vestiu e descansou. Então, ele mandou de volta seu servo Jon para Coldback, ordenando-lhe que dissesse a Saevuna, sua mãe, que ele estava a salvo. Mas durante todo aquele dia ele se sentiu fraco, e o som das águas continuou a rugir nos seus ouvidos.

A hora do banquete chegou e, de acordo com a tradição, ele foi realizado no templo, e para lá foram todos os homens. Quando estavam sentados no meio do Hof, o boi gordo que tinha sido preparado para o sacrifício foi conduzido até o altar sobre o qual o fogo sagrado ardia. Então, Asmund, o Sacerdote, matou-o em silêncio diante das figuras dos deuses, e, apanhando o seu sangue numa tigela, aspergiu-o no altar e em todos os adoradores. Depois o boi foi talhado, e as figuras dos deuses todo-poderosos foram ungidas com a sua gordura derretida e, em seguida, enxugadas com linho fino. Depois, a carne foi cozida nos caldeirões que estavam pendurados sobre fogueiras acesas em todo o templo, e o banquete começou.

Os homens comiam e bebiam muita cerveja e hidromel, e todos se divertiam. Mas Ospakar Dente Negro não estava feliz, embora bebesse muito, pois viu que os olhos de Gudruda sempre observavam o rosto de Eric, enquanto sorriam um para o outro. Ele ficou furioso com isso, pois sabia que a isca deveria ser boa e a linha forte para atrair esse belo peixe para si, e enquanto se sentava, sem saber, seus dedos soltaram as cordas da bainha de sua espada Fogo Branco, e ele desembainhou metade dela, de modo que seu brilho flamejou à luz do fogo.

— Tens aí uma espada maravilhosa, Ospakar! — disse Asmund. — Embora este não seja o lugar para utilizá-la. De onde ela veio? Pensei que tais espadas não eram mais fabricadas.

— Sim, Asmund, uma maravilhosa lâmina, de fato. Não há outra no mundo como esta, pois os anões a forjaram há muito tempo, e será sempre invicto quem a empunhar. Esta era a espada do rei Odin e é chamada de

Cópia de relevo de elmo viking

Fogo Branco. Ralph, o Ruivo, tirou-a do túmulo do rei Eric na Noruega e lutou muito com o Habitante do Túmulo (um fantasma), antes de arrancá-la de suas mãos. Mas meu pai a ganhou quando matou Ralph, embora ele nunca tivesse feito isso se Fogo Branco tivesse sido empunhada contra ele. Mas Ralph, o Ruivo, estando bêbado quando os navios se encontraram em batalha, lutou com um machado e foi morto por meu pai, e desde então Fogo Branco tem sido a última luz que os olhos de muitos chefes viram. Olhe para isso, Asmund.

Então ele ergueu a grande espada, e os homens ficaram espantados ao verem-na brilhar com tanto fulgor. O seu punho era de ouro, com pedras azuis incrustadas. Tinha como medida duas conchas e meia, da travessa à ponta, e a lâmina larga era tão brilhante que mal se conseguia olhar para ela durante muito tempo. Ao longo dela, havia runas.

— Uma arma verdadeiramente maravilhosa — Disse Asmund. — O que dizem as runas?

— Eu não sei, nem nenhum homem sabe. Elas são antigas...

— Deixe-me vê-las — disse Groa. — Eu tenho a habilidade de ler runas.

Então ela pegou a espada, sentiu seu peso, olhou para as runas e disse:

— Uma escrita verdadeiramente estranha.

— O que dizem elas, mulher? — quis saber Asmund.

— Se minhas habilidades não estiverem enganadas, senhor está escrito:

— *Fogo Branco é o meu nome*

A nação anã forjou-me;

A espada de Odin eu era,

A espada de Eric eu era,

A espada de Eric serei,

E onde eu estiver, ele irá me seguir.

Gudruda olhou vislumbrada para Eric Olhos Brilhantes, e Ospakar ficou muito zangado.

— Não olhe dessa forma, donzela — disse ele —, pois será outro Eric que empunhará Fogo Branco, embora possa muito bem acontecer que ele sinta a sua lâmina.

Gudruda mordeu o lábio, e Eric ruborizou até a raiz dos cabelos. Então, disse:

— É doentio, senhor, proferir insultos como uma mulher zangada. O senhor é grande e forte, mas eu posso ousar atacar-te também.

— Paz, rapaz! Se você consegue descer pela cascata, como fez, eu não o contradirei, mas tenha cuidado antes de se colocar contra as minhas forças. Diga-me qual o jogo que deseja jogar com Ospakar?

— Eu lutarei com você, com total fúria, e lutarei machado ou espada. Eu lutarei contigo, e Fogo Branco será o prêmio do vencedor.

— Não, não permitirei derramamento de sangue aqui em Middalhof! — reagiu Asmund com severidade. — Disputem braço de ferro, ou lutem com os punhos, se quiserem, pois isso era um grande entretenimento de se ver. As armas, porém, não devem ser usadas.

Ospakar enlouquecia de raiva e bebida, e sorriu como um cão, até os homens verem as gengivas vermelhas sob seus lábios.

— Você vai lutar comigo, jovem, comigo, a quem nenhum homem jamais derrotou? Bom! Eu te deitarei de bruços. Juro pelo sagrado anel do altar que Fogo Branco será sua, se me derrotar. Mas que você tem para cobrir a preciosa espada? Sua pobre cabana e seu pedaço de terra não têm valor...

— Eu cubro a aposta com minha vida. Se eu perder Fogo Branco, deixarei que a espada me mate — disse Eric.

— Não, isso eu não terei, e eu sou mestre aqui neste Templo. — Disse Asmund. — Pense em alguma outra aposta, Ospakar, ou este jogo terminará.

Ospakar mordeu o lábio, seu canino negro se projetando para fora da boca, e pensou por um momento. Então, riu alto e falou:

— Brilhante é Fogo Branco e você se chama Olhos Brilhantes. Por isso, proponho apostar a grande espada contra o seu olho direito. Se eu vencer a contenda, ele será meu para arrancá-lo. Quer fazer esta aposta comigo? Se seu coração relutar em aceitar, deixaremos isso de lado, mas não aceitarei nenhuma outra aposta contra minha espada.

— Olhos e membros são a riqueza de um homem pobre — disse Eric. — Que assim seja. Eu aposto meu olho direito contra a espada Fogo Branco e lutaremos amanhã.

— E amanhã à noite você será chamado Eric, o Caolho — troçou Ospakar, enquanto alguns de seus escravos riam.

Mas a maioria dos homens não riu, pois achavam que aquela era uma aposta ruim e uma brincadeira ainda pior.

Então, a festa prosseguiu. Asmund se levantou de sua cadeira alta no centro do templo e, tendo ido até o altar, ofereceu as santas oferendas. Os primeiros homens beberam de um chifre cheio, em homenagem a Odin, rezando pelo triunfo sobre seus inimigos. Então eles beberam em honra de Frey, pedindo abundância. Brindaram a Thor, aspirando força na batalha, a Freya, deusa do Amor (e para ela Eric bebeu com vontade), à memória dos mortos, e, por último, a Bragi, deus de todas as delícias. Quando este copo foi bebido, Asmund levantou-se novamente, de acordo com o costume, e perguntou se ninguém tinha um juramento para proferir sobre algo que deveria ser feito.

Por um tempo não houve resposta, mas, então, Eric Olhos Brilhantes se levantou.

— Senhor — ele disse —, eu gostaria de fazer um juramento.

— Apresente-o, então — disse Asmund.

— Na montanha Mosfell, perto de Hecla, mora um Berserker de quem todos os homens têm por má pessoa, pois há poucos a quem ele não fez mal. Seu nome é Skallagrim e ele é um homem poderoso que já causou muito mal no sul da Islândia, levando muitos à morte e roubando muitos de seus bens, porque ninguém consegue se opor a ele. Ainda assim, eu juro que, quando os dias se alongarem, irei sozinho lutar contra ele, o desafiarei para a batalha e o vencerei, ou cairei.

— Então, cachorrinho de cabeça amarela, você irá caolho duelar com um Berserker com dois olhos — rosnou Ospakar.

Os homens não prestaram atenção às suas palavras, mas gritaram em voz alta, pois Skallagrim os atormentara por muito tempo, e não havia mais ninguém que ousasse lutar com ele. Apenas Gudruda olhou de canto, pois lhe parecia que Eric fazia juramentos rápido demais. No entanto, ele subiu ao altar e, pegando o anel sagrado, colocou o pé na pedra sagrada e fez seu juramento, enquanto as pessoas presentes no banquete aplaudiam, batendo seus copos na mesa.

E depois disso a festa foi alegre, até que todos os homens ficaram bêbados, exceto Asmund e Eric.

Então, Eric foi descansar, mas primeiro esfregou os membros com gordura de focas, pois ainda estava dolorido com o bater das águas e, se ele cuidasse daquilo, ele estaria bem para a luta do dia seguinte. Ele dormiu profundamente, e levantou-se forte e bem e, indo para o riacho, banhou-se e untou seus membros novamente com gordura de foca. Ospakar não havia dormido bem, por causa da cerveja que havia bebido em excesso. Quando Eric voltava do banho, no escuro da manhã de inverno, encontrou Gudruda, que esperava por sua chegada e, não havendo ninguém para ver, ele a beijou intensamente, mas ela o repreendeu por causa da aposta que fizera com Ospakar e do juramento que ele havia feito na noite anterior.

— Com certeza — ela disse — perderá o seu olho, pois este Ospakar é gigante e forte como um troll, assim como é implacável. Sei que você é um homem poderoso, e eu te amarei tanto com um olho quanto com dois. Eric, pensei que morreria ontem quando você saltou da Presa do Lobo! Meu coração pareceu parar dentro de mim.

— No entanto, eu desci em segurança as pedras, querida, e este beijo bem me paga tudo o que fiz. E quanto a Ospakar, se ao menos uma vez eu colocar estes braços em volta dele, pouco o temerei, ou a qualquer homem, e saiba que eu cobiço muito essa espada. Mas poderemos falar com mais certeza sobre essas coisas amanhã.

Gudruda agarrou-se a ele e contou tudo o que havia acontecido, os atos e palavras de Swanhild.

— Ela me honra para além do meu valor — disse ele —, mas de forma alguma estou ligado a ela, apenas a você, Gudruda.

— Você tem tanta certeza disso, Eric? Swanhild é bela e sábia.

— E má. Quando eu amar Swanhild, então você amará Ospakar.

— Isso nunca! — disse ela, rindo. — Que a boa sorte o acompanhe nessa luta. — Com um beijo ela o deixou, temendo ser vista.

Eric voltou para o salão e sentou-se perto da lareira central, pois todos os homens ainda dormiam, pesados pela bebida. Não tardou muito e Swanhild aproximou-se dele e o cumprimentou.

— Você é ganancioso, Eric — ela disse. — Ontem você veio aqui por um caminho que nenhum homem percorreu, hoje você luta com um gigante apostando seu olho e logo irá desafiar Skallagrim!

— Parece que sim — respondeu Eric.

— Tudo isso por uma mulher que está noiva de outro homem.

— Tudo isso eu faço é por meu renome, Swanhild. Além disso, Gudruda não está noiva de ninguém.

— Antes que outra festa de Yule seja feita, Gudruda será a esposa de Ospakar.

— É o que veremos, Swanhild.

Swanhild ficou em silêncio por um tempo e então falou:

— Você é um tolo, Eric! Sim, embriagado de loucura. Nada além do mal virá para você com esta loucura. Esqueça isso e pegue o que está em sua mão — e ela olhou docemente para ele.

— Eles te chamam de Swanhild, a Sem-Pai — ele respondeu —, mas acredito que Loki, o Deus da Astúcia, é seu pai, pois não há ninguém que se compare em astúcia e maldade e em termos de beleza, há apenas uma. Conheço bem as suas tramas e toda a tristeza que nos trouxeste. Ainda assim, cada um buscará honra à sua própria maneira, então procure como quiser. Mas saiba que você encontrará amargura e dias vazios, e suas tramas se voltarão contra você. Sim, mesmo que causem tristeza e morte para mim e Gudruda.

Swanhild riu.

— Um dia vai raiar, Eric, quando você, que hoje me odeia, me amará, e isso eu te prometo. Outra coisa eu te prometo também: que Gudruda nunca te chamará de marido.

Mas Eric não respondeu, temendo que em sua raiva ele dissesse palavras que eram melhor não serem ditas.

Depois daquilo, os homens se levantaram e se sentaram para comer, e todos falavam da luta que deveria ser travada naquele dia. Mas pela manhã, Ospakar arrependeu-se da aposta, pois é verdade que a cerveja transforma um homem em outro, e os homens, de manhã, não gostam do que parecia bem na noite anterior. Lembrou-se de que considerava Fogo Branco acima de todas as coisas e que o olho de Eric não tinha valor para ele, exceto que a perda dele estragaria sua beleza de modo que talvez Gudruda se afastasse dele. Seria muito ruim se ele por acaso perdesse a aposta, embora disso ele não tivesse medo, pois era considerado o homem mais forte da Islândia e o mais habilidoso em todos os feitos de força. Na melhor das hipóteses, nenhuma fama ganharia ao derrotar um homem sem glória, apenas arrancaria seu olho. Assim aconteceu que, ao ver Eric, chamou-o em voz alta:

— Ouça, Eric.

— Eu te ouço, Ospakar — disse Eric, zombando dele.

As pessoas riram, então Ospakar sorriu com raiva e disse:

— Você deveria aprender a se comportar melhor, cachorrinho. Ainda assim, não encontrei honra em lhe ensinar desta forma. Ontem à noite nós fizemos um brinde a uma aposta, e eu apostei minha espada Fogo Branco e você, seu olho. Seria ruim se qualquer um de nós perdesse a espada ou o olho, portanto, o que diz, devemos deixar passar?

— Sim, Dente Negro, se você tem medo. Mas primeiro, pague a desistência com a espada.

Então Ospakar ficou furioso e gritou:

— Você realmente vai lutar contra mim na arena! Eu quebrarei suas costas rapidamente, jovem, e depois arrancarei seu olho antes que você morra.

— Pode acontecer — respondeu Eric —, mas grandes palavras não fazem grandes ações.

Logo veio a luz e os escravos saíram com pás e limparam a neve em um círculo de duas varas de diâmetro, e trouxeram areia seca para espalhar sobre o terreno congelado, para que os lutadores não escorregassem. Então, eles empilharam a neve, formando um muro ao redor da arena.

Mas Groa veio até Ospakar e falou com ele separadamente.

— Saiba, senhor, — ela disse — que meu coração pressente um mau presságio para este casamento. Eric é um homem poderoso e, por mais grandioso que o senhor seja, acho que vai se rebaixar diante dele.

— Será um mau negócio se eu for derrubado por um homem inexperiente — disse Ospakar, que estava perturbado. — Além disso, seria ruim perder a espada. Por nenhum preço eu a teria de volta.

— O que o senhor me daria caso eu lhe garantisse a vitória?

— Eu te darei duzentas libras de prata.

— Não faça perguntas e assim será — disse Groa.

Eric estava do lado de fora, observando o terreno da arena, e logo Groa chamou seu servo Koll, o Tolo, que havia sido enviado para Swinefell.

— Veja — ela disse —, além da parede estão os sapatos que Eric Olhos Brilhantes irá usar na luta. Corra e pegue graxa para esfregar as solas com ela e, depois, segure os sapatos perto do calor do fogo, para que a gordura penetre. Faça isso rápida e discretamente, e eu te darei três moedas de prata.

Koll sorriu e fez o que lhe foi ordenado, colocando os sapatos exatamente onde estavam antes. O mal estava feito o feito, e Eric entrou e se preparou para a luta, vestindo os sapatos engraxados, pois não temia nenhum truque.

Então todos foram para a arena, e Ospakar e Eric despiram suas capas para lutar. Eles estavam vestidos com calças justas de lã e meias, e sapatos de pele de carneiro estavam em seus pés.

Asmund foi eleito o juiz da luta, e sua palavra deveria ser lei para ambos. Eric alegou que Asmund deveria empunhar a espada Fogo Branco que estava sendo apostada, mas Ospakar o contestou, dizendo que se ele entregasse Fogo Branco aos cuidados de Asmund, Eric também deveria dar seu olho - e sobre isso eles debateram calorosamente. O assunto foi levado a Asmund e ele julgou a favor de Eric:

— Se Eric entregar seu olho para mim, não poderei mais devolvê-lo, caso ele vença a batalha, mas se Ospakar me der a espada e vencer, será fácil para mim devolvê-la ilesa.

Os homens disseram que aquele era um bom julgamento.

Assim, então, a luta corpo-a-corpo foi definida. Ospakar e Eric deveriam combater três vezes, e entre cada luta haveria um espaço de tempo. Eles não poderiam golpear um ao outro com a mão, ou a cabeça, ou o cotovelo, o pé ou o joelho, e não deveria ser contada queda se o quadril e a cabeça do caído não tocassem o chão ao mesmo tempo. Aquele que sofresse duas quedas deveria ser considerado vencido e perder a aposta.

Asmund proferiu essas regras em voz alta na presença de testemunhas, e Ospakar e Eric disseram que as seguiriam. Ospakar sacou uma pequena faca e deu a seu filho Gizur para segurar.

— Logo você saberá, jovem, qual é o gosto do aço no globo ocular — disse ele a Eric.

— Em breve saberemos muitas coisas — respondeu Eric.

Eles tiraram seus mantos e entraram no ringue. Ospakar era maior ainda do que o maior dos homens, e seus braços eram cobertos de pelos negros como os de uma cabra. Abaixo da articulação do ombro, tinha músculos tão grossos quanto a coxa de uma garota. Suas pernas também eram fortes, e os músculos se destacavam. Ele parecia um gigante e era feroz como um Berserker, mas movia-se pesadamente.

Os homens olhavam para ele e para Eric.

— Ei! É Baldur e o Troll! — disse Swanhild, e todos riram, pois era verdade.

Se, Ospakar tinha pelos e cabelos negros e era horrível como um troll, Eric era belo como Baldur, o mais adorável dos deuses. Eric era meio palmo mais alto que Ospakar e tinha o peito tão largo quanto o adversário. Ainda assim, embora seus membros fossem fortes, pareciam os de uma criança, se comparados aos de Ospakar. Apesar disso, ele era rápido e ágil como um gato, seu pescoço e braços eram brancos como soro de leite, e seus cabelos dourados e olhos brilhantes refulgiam como lanças.

Naquele momento eles estavam cara a cara, com os braços estendidos, esperando a palavra de Asmund. Quando a palavra foi dada, eles circularam um ao redor do outro com os braços abaixados. Logo Ospakar correu e, agarrando Eric pelo meio do torso, tentou levantá-lo, mas sem sucesso. Por três vezes ele se esforçou e falhou, então Eric moveu o pé e eis que escorregou na areia. Novamente Eric se moveu e novamente escorregou, e ainda uma terceira vez, de modo que, antes que ele pudesse se recuperar, foi jogado ao chão, com as costas feridas.

Gudruda viu, e seu coração se entristeceu. As pessoas ao seu redor comentaram que era fácil de saber quem seria o vencedor.

— O que foi que eu disse? — perguntou Swanhild. — Eu sabia que Eric iria perder, se os braços de Ospakar o prendessem.

— A luta ainda não terminou — respondeu Gudruda. — Acho que vi os pés de Eric escorregarem de maneira estranha, como se ele estivesse no gelo.

Mas Eric estava muito machucado em seu coração e não podia fazer nada sobre isso, pois ele não foi derrubado pela força.

Sentou-se na neve e Ospakar e seus filhos zombaram dele. Mas Gudruda se aproximou e sussurrou que se ele tivesse bom ânimo, a sorte ainda podia mudar.

— Acho que estou enfeitiçado — disse Eric tristemente. — Meus pés não se seguram no chão.

Gudruda cobriu os olhos com a mão e pensou. Logo ela olhou para cima rapidamente.

— Parece que vejo malícia aqui — disse ela. — Olhe atentamente para seus sapatos.

Ele ouviu e, afrouxando o cadarço do sapato, tirou um sapato do pé e olhou para a sola. O frio da neve endureceu a gordura, e lá estava ela, toda branca sobre o couro.

Então Eric se levantou cheio de ira.

— Eu pensei — ele gritou — que lidava com homens honrados, não com trapaceiros enganadores. Vejam então! Não é de se admirar que eu escorregue, pois foi colocada graxa em meus sapatos e, por Thor!, vou quebrar o queixo de quem fez isso.

Quando ele proferiu essas palavras, seus olhos brilharam tão terrivelmente que as pessoas se afastaram dele. Asmund pegou os sapatos e olhou para eles. Então falou:

— Eric diz a verdade, e temos um lamentável trapaceiro entre nós. Ospakar, você está envolvido nesta má ação?

— Jurarei pelo anel sagrado que não sei nada sobre isso, e se algum homem em minha companhia tiver a ver com isto, morrerá — declarou Ospakar.

— Nós também juramos! — gritaram seus filhos, Gizur e Mord.

— Isso parece mais obra de mulher — disse Gudruda, enquanto olhava para Swanhild.

— Não fiz isto! — disse Swanhild.

— Então vá perguntar à sua mãe sobre isto — respondeu Gudruda.

Agora todos os homens gritavam em voz alta que aquilo era vergonhoso e que a luta deveria ser reiniciada. Ospakar lembrou-se das duzentas moedas de prata que havia prometido a Groa e olhou em sua volta, mas ela não estava lá. Ainda assim, ele não concordou com a luta ser reiniciada.

Então Eric gritou com raiva que deixaria o resultado como estava, já que Ospakar jurou não estar envolvido com aquele ato vergonhoso. Os homens acharam que era uma má decisão, mas Asmund disse que deveria ser assim. Apesar disso, ele jurou em seu coração que, mesmo que fosse derrotado, Eric não deveria perder o olho.

Eric e Ospakar se enfrentaram novamente no ringue, mas dessa vez Eric lutou descalço.

Ospakar correu para tomar o controle, mas Eric era rápido demais para ele e saltou para o lado. Novamente ele correu, mas Eric desviou e o agarrou pelo meio. Estavam cara a cara, abraçados como ursos, mas se movendo pouco. Por um tempo as coisas continuaram assim, enquanto Ospakar se esforçava para levantar Eric, ainda que de modo algum conseguiu levantá-lo. Então, de repente, Eric reagiu, e eles cambalearam em volta do ringue, apertando um ao outro até que suas camisas rasgaram, deixando-os quase nus da cintura para cima. De repente, Eric pareceu ceder, e Ospakar esticou o pé para fazê-lo tropeçar. Mas Olhos Brilhantes estava atento, e pegou o pé na dobra da perna esquerda e jogou seu peso para frente, no peito de Dente Negro. Ele foi para trás, caindo como o baque de uma árvore na neve, deitado no chão, e Eric ficou sobre ele.

Então os homens gritaram

— Uma queda! Uma queda justa! — E ficaram muito contentes, pois a luta parecia ter sido justa e sem interferências. Os lutadores rolaram para longe, respirando pesadamente.

Gudruda jogou um manto sobre os ombros nus de Eric.

— Isso foi muito bom, Olhos Brilhantes — disse ela.

— Ainda há luta pela frente, meu amor — ele sussurrou. — Ospakar é um homem poderoso. Eu o derrubei com habilidade, não através força. Da próxima vez, deve ser pela força ou nada.

O tempo de descanso terminou e mais uma vez os dois lutadores estavam cara a cara. Três vezes Ospakar correu para agarrar seu oponente, e três vezes Eric desviou, pois estava buscando cansar Dente Negro. Novamente Ospakar avançou, rugindo como um urso. Parecia sair fogo de seus olhos, e vapor subia dele e pairava no ar gelado, como acontece com os cavalos. Então, Eric não conseguiu desviar, e se viu preso numa pegada firme.

— Agora chegou o fim de Eric — disse Swanhild.

— A flecha ainda está no arco — respondeu Gudruda.

Dente Negro colocou toda a sua força e cambaleou ao redor do ringue, arrastando Eric com ele. Para cá e para lá ele o torceu, e de vez em quando a perna de Eric se ergueu do chão, mas para evitar que ele fosse arremessado. Então, ficaram quase parados, enquanto os homens gritavam loucamente, pois nunca se tinha visto um combate como aquele nas terras do sul. Eles estavam entrelaçados e se esforçavam arduamente. Sem dúvida, era uma visão poderosa de se ver. Eles estavam rígidos, e seus músculos ficaram tensos e inchados, mas eles não conseguiam mexer um ao outro nem um centímetro.

Ospakar ficou com medo, pois não podia brincar com aquele jovem. Uma raiva negra cresceu em seu coração. Ele cerrou os dentes e pensou com astúcia. Sob seu pé, estava o pé descalço de Eric. De repente, Ospakar pisou com tanta força no pé de Eric que a pele rompeu.

— Isto é errado! — as pessoas gritaram, mas por conta da dor Eric moveu o pé.

Ele tinha quase caído. Tinha se agachado e se agarrara às coxas de Dente Negro, entrelaçando suas pernas. Agora, com toda a sua força, Ospakar tentou forçar a cabeça de Olhos Brilhantes contra o chão, mas ainda assim não conseguiu, pois Eric se agarrou a ele como uma trepadeira a uma árvore.

— Uma luta perdida para Eric — disse Asmund, e enquanto ele falava, Olhos Brilhantes era empurrado para trás até seu cabelo louro quase tocar a areia.

Então o povo de Ospakar gritou em triunfo, mas Gudruda gritou em voz alta:

— Não se deixe ser derrubado, Eric. Solte-se e salte para o lado!

Eric ouviu, e de repente, se soltou. Ele caiu com a mão estendida, e então, com um balanço lateral e um salto, mais uma vez ficou de pé. Ospakar veio para cima dele como um touro enlouquecido com a provocação. Eles se agarraram e dessa vez Eric teve o melhor controle. Por um tempo eles deram voltas e mais voltas ao redor do ringue, até ficarem cara a cara mais uma vez. Agora os dois estavam quase esgotados, mas Dente Negro reuniu sua força e ergueu Eric, porém, ele logo se recuperou. Enlouquecido de raiva, apertou Olhos Brilhantes em seu abraço de urso até quase esmagá-lo. Hematomas negros surgiram na brancura da pele de Eric. Ospakar ficou louco, e mais louco ainda, até que finalmente em sua fúria ele cravou seus dentes no ombro de Eric e mordeu até o sangue jorrar.

— Mal beijado, seu rato! — suspirou Eric. Mas com a dor e o jorrar do sangue, as suas forças voltaram para ele. Ele rapidamente afrouxou o abraço de Dente Negro, pôs sua mão direita debaixo da coxa de seu adversário e a esquerda sobre as costas dele. Por duas vezes ele levantou Ospakar e na terceira vez ergue-o com tanta força que a bandagem na sua testa rebentou, e o sangue correu pelo seu rosto – o grande Dente Negro voou no ar. Ele voou para cima, e para trás caiu na neve, batendo simultaneamente as costas e a cabeça no chão. Estava derrotado.

Os homens e mulheres que assistiam à luta gritaram jubilosos, pois Eric tinha lutado com coragem e de modo justo. Os deuses estavam do lado dele. Assim, Eric venceu a luta, conquistou a espada Fogo Branco e pôde merecer a mão de Gudruda, a Justa, aquela que viria a ser sua esposa.